JN053303

はじめての機械学習

中学数学でわかる AI のエッセンス

田口善弘　著

ブルーバックス

装幀／児崎雅淑（芦澤泰偉事務所）
カバーイラスト／嶽 まいこ
本文デザイン／長橋誓子
本文図版／長橋誓子、さくら工芸社

はじめに

　機械学習、という単語で多くの人が思い浮かべるのはどんな機能だろう。たぶんそれは次の３つの事例ではなかろうか。（自動運転に使われている）画像認識、（自動翻訳のベースとなる）自然言語処理、そして、コンピュータ囲碁（と将棋）。この一見すると全く異なる３つの応用には、しかし、ある共通点がある。それは、すべて「関係性の予測を行っている」ということだ。

　まずは、この３つの中で、自然言語処理を取り上げてみよう。2011年度に国立情報学研究所が「ロボットは東大に入れるか」（東ロボ）という名前のプロジェクトを始めた。当時、このプロジェクトは機械学習の技術を駆使して東京大学に合格することを標榜していたが、実のところ、これは「摑み」みたいなもので、本当の目的は機械学習の能力の極限を見極める、ということにあった。非常に残念なことにこのプロジェクトは「これ以上やっても進展が見込めない」という理由で、2016年に東大合格という目標は取り下げてしまった（プロジェクト自体は2021年まで継続）ので、東ロボという名称はもはやプロジェクトの目的を、まったく表さなくなってしまったのだが。

　プロジェクトの半ばで早々に看板を下ろしてしまったわけだが、一体全体、どこがボトルネックだったのか？　プロジェクトの責任者だった新井紀子は著書『AI vs. 教科書が読めない子どもたち』の中で、

国語は、どう考えても正攻法でなんとかできるとは思えません。

　と書いている。とりわけ大きな問題になったのは長文読解能力だったようだ。これに関しては近い将来、大きな進展は望めない、という判断が下され、それが東大に合格するという（表向きの）看板を下ろす大きな理由になった。本当にこれだけが理由だったのかはわからないが、これが大きな要因だったのは事実だろう。

　ところが、東ロボがその看板を下ろしてわずか数年後の2019年、ＮＴＴは「大学入試センター試験で機械学習を使うことで英語筆記本試験200点満点中185点をとることに成功した」と発表をした。英語と国語の違いがあるし、東大の入試問題ではなくセンター試験ではあるが、できないとされた長文読解能力の獲得なしにはセンターの英語といえどもこれだけの高得点はとれない。だから、これは大きな驚きをもって迎えられた。多くの機械学習の専門家を結集したプロジェクトの責任者が、近未来にはできないと断じたことがわずか数年で実現してしまったのだから無理もない。

　しかし、この驚きの発表には実は前振りがあった。2019年から遡ること１年前の2018年、検索大手で有名なGoogleが当時としては画期的な言語処理モデルを発表し、それが複数のタスクにおいて人間の言語理解力を超える精度を示したのだ。この言語処理モデルBERTが、それまでどの機械学習も果たせなかった人間を超える言語能力を獲得できた理由は多々ある

が、その一つは単語穴埋め問題をたくさん解いて練習したからだ、といわれている。

　単語穴埋め問題とは何か。

　ともかく、長い文章をたくさん持ってきて、そこから適当に単語を抜いて空欄とし、そこにどんな単語が入るか予想させるのが単語穴埋め問題だ。こんなことを書くと「そんなことできるのか」と思うかもしれないが、我々はけっこう、無意識に日々それをやっている。たとえば、文章を推敲しているときに間違いがあっても見逃してしまうというのはよくある話だが、それはふだんでも文の前後から単語を予測しつつ読んでいるので、多少、間違っていてもスルーできて読めてしまうからだ。たとえば、

　今朝は早くから散歩に出かけた。春先らしいよい（　　　）で、ポカポカと暖かく、気持ちがよい朝だった。

　という文章を考えよう。ここで（　　　）には何が入るだろうか？　こんな問いにはもちろん、答えようもないだろう。だが、かといって何でも入るというわけではない。せいぜい、「気候」とか「天気」とか「陽気」とか、その程度しか入らないということは想像に難くない。こんなふうに単語が抜けていても何が入るかだいたい予測できてしまうからこそ、逆に（　　　）にとんでもない単語、たとえば「人気」とかが間違って入っていても気づかず読み飛ばすことができてしまい、結果として推敲

5

で誤字脱字を見逃す羽目になるのだ。

　この単語穴埋め問題を機械学習にたくさんやらせる。これがどうやら長文読解をうまくやるカギの一つだったらしい。

　なんだか大層なこと（＝人間超えの読解力）を達成したわりには、実際に必要だったことは拍子抜けするほど単純で、そんなことでいいならなんでもっと早く気づかなかったの、という感じだが、ここには機械学習が何をやっているのか、ということが端的に現れてもいる。つまり、機械学習とは何かの関係性を予測する方法だ、ということだ。（　　）には「人気」ではなく「天気」や「気候」や「陽気」が入っていることがもっともらしいという判断。単語の穴埋め問題に答えることができるのは、それが我々人間であれ、機械学習であれ、「抜けている単語」と「見えている単語」の「関係性」からもっとも妥当な単語を推定するというタスクができているからこそである。この関係性の予測こそ機械学習が、その果たすべきタスクにかかわらず、実際にやっていることなのだ。

　もう一つ、例を挙げよう。

　コンピュータ将棋がプロ棋士を打ち負かした、といってもいまや誰も驚かないだろうけれど、かつてそれはとんでもなく難しいことだと思われていたのだ、機械学習が導入されるまでは。機械学習をはじめてコンピュータ将棋に導入したソフトの名前はBonanzaという。Bonanzaは2006年に開催された世

界コンピュータ将棋選手権大会に彗星のごとく登場し、並み居る強豪をなぎ倒してみごと優勝を飾り、周囲を唖然とさせた。Bonanzaのソフトを書いたのはコンピュータ将棋に何の実績もない、理論化学の研究者・保木邦仁氏だったからだ。

　彼はどうやってこのような大旋風を巻き起こすことに成功したのか？　その戦略はきわめて単純だ。将棋は長い歴史があり、名人（いまでいうところのプロ棋士のレベル）たちの膨大な勝負が棋譜という形で蓄積されている。彼がやったことは、この膨大な棋譜と、いま目の前にある将棋の盤面を比べて、なるべく似たものを探し出し、そして、昔の棋譜で指された「次の一手」を指す、というものだった。次の一手を指した後の盤面を「完全な文章」、次の一手を指す前の盤面を「（　　）のところだけ単語が抜けた文章」、名人が指す次の一手を「穴埋めする単語」とみなせば、まったく同じ問題を解いていることに気づかれただろうか？　BERTが、自分が学んだ膨大な文章の中の単語と単語の関係から（　　）に入れるべき単語を推定したように、Bonanzaは、長い歴史の中で蓄積された棋譜の中に存在する将棋の駒と駒の位置関係から、穴埋めという問題＝次の一手、を推定したのだ。だから、BonanzaもBERTと同じように、やっていることは「関係性の予測」にすぎない。

　最後に画像処理について語ろう。もし、ここで画像処理の歴史でも自然言語処理やコンピュータ将棋みたいに「広義の穴埋め問題」が技術革新を推進した、という歴史があったら格好よかったのだが、残念ながらそうではない。ただ、「欠けた

部分の画像を補完する」という技術は重要な技術ではあり、すでに実用化されている。最近のスマホの高級機種には「自分と自分以外の人物が写っている写真から自分だけを残す」という機能が実装されているが、これは自分以外の人が写っているところを消した後、プチッとボタンを押すと欠けたところがそれっぽい背景画像で塗りつぶされる、というものだ。これは「単語穴埋め問題」や「次の一手を推定」と同じく、「関係性の予測」に違いはない。周囲のピクセルの情報から、欠けているピクセルの情報を「穴埋め」しているのだから。

　こんなふうに機械学習とは「関係性の予測」問題を解いているものにほかならない。この本に出てくる多種多様なＡＩ＝機械学習の手法は本質的にすべてこの「関係性の予測」に帰着する。ただ、自然言語処理やコンピュータ将棋に用いられているアルゴリズムをいきなり説明するには無理がある。まずは、簡単なところから、具体的には目に見える形で関係そのものを使っているＡＩ＝機械学習の手法から説明していくのがいいだろう。

　その手法は k 近傍法、と呼ばれている。

＊本書は数式にうとい人にもわかりやすい作品になることを最優先した。専門家からは正確性に欠けるという意見もあるかもしれないが、その批判は甘んじて受けたいと思う。

埋め込む
——夜空に星が瞬くごとく

連想ゲーム

　ＴＶでクイズ番組はいまも人気だ。だが、最近のクイズ番組はバラエティ化してしまって「おバカタレント枠」がとんちんかんな答えをするのを見て喜ぶ風潮まである。だが、古きよき時代（？）のクイズ番組はもうちょっと知識の量や地頭のよさを競う趣があった。

　たとえば、『連想ゲーム』（NHK）というクイズ番組があった。これは1969年から1991年まで続いた長寿番組で、キャプテンと呼ばれるタレントが自分のメンバーにある言葉を当てさせるために、ヒントを言うというシンプルな番組だった。たとえば、正解がリンゴだと、「果物」「赤い」「皮」「パイ」などの言葉を投げかけて、1回のヒントごとに1回だけ答えを言うことができる、2チームでどっちが先に答えを当てるか競う、というたわいもないゲームである。こんな番組が何十年も続いたこと自体、驚きだが、そこにはある種の真実が隠されている。それはある言葉と関係している言葉の数には限りがあり、関係している言葉をたくさん挙げていけば、そのすべての言葉に関係する言葉は必ず唯一無二だという真実だ。

　このゲームでは同時に、あまりに近すぎる言葉はヒントとし

て許されていなかった。たとえば、リンゴを答えさせるのにアップルパイというヒントを出すのはＮＧだった。リンゴとアップルは同じものを表現しているからだ。一方で、あまり関係ない言葉をヒントに出すと不利になる。リンゴのヒントに「白い」「種」「袋」などというヒントを与えたのではリンゴを当てるのは至難の業だ。結局、答えそのものではないが、答えに近い、なるべく少ない数のヒントを出す知性が求められる。

この「そのものではなく、強く関係する言葉だけをなるべく少ない数与えて答えを当てさせる」というプロトコルを機械学習に実装することは可能だろう。それこそがこれから説明する k 近傍法というアルゴリズムだ。

隣は何をする人ぞ ——k 近傍法

k 近傍法という名の機械学習の真髄は「類は友を呼ぶ」ということだ。例を挙げよう。あなたは先生で、ある科目を教えるクラスを担当している。あなたがそのクラスを受け持っているのが、小学校なのか、大学なのか、補習塾なのか進学予備校なのか、あるいは、大学院なのか、そういうことはとりあえずどうでもいいとする。あなたのタスクは「なるべく落第者を出さないこと」だ。で、あなたは思う。「授業についてこられない学生に補習をしたいな」と。

が、実はこれはそれほど簡単なことではない。いわゆる「先生」稼業をちょっとでもやったことがある人ならわかると思

うが、ここで前フリもなくいきなり「補習クラスやるから、よくわかんなかった人は残るように！」と言ってもうまくいく可能性はまずない。あなたが張り切って補習クラスの教室の扉を開けたときに目にするのはきっと、授業についてこられなかったと思しき、教室の後ろのほうで縮こまって座っていた連中ではなく、前のほうで熱心にノートをとっていた学生の顔のはずだ。で、あなたは心の中で「おまえらじゃないよ！」と思いながら、引きつった笑みを浮かべつつ、補習クラスの授業をすることになる。

　実際、授業がわからなかった学生にとっては、そのわからないことについてさらに長い授業を追加で受けることは苦痛でしかなく、むしろ避けるべきことなのだ。

　このような事態を避けるにはあなたのほうで「○○と××、授業わかってないから補習クラスに出ろ」と指名する必要がある。だが、どうやって補習クラスに指名すべき学生を見分けるのか？　授業が一通り終わって、落第者がはっきりしてからでは、もちろん、遅い。じゃあ、最初の２〜３回が終わってからではどうか？　確かにそれでもいいだろう。だが、それでも最初の２〜３回は学生にわからない講義を聞かせることになる。できれば、学生に授業を聞かせる前に、誰がその授業がわからないか知りたいものだ。

　一見、それは無理な相談な気がする。それはあたかも、お菓子を食べる前にそれが美味しいかどうか決めろ、とか、映画を

みる前にその映画がおもしろいかどうか決めろ、と言われているように思える。だが、ここで幸いにもあなたの手元には、クラス開始時点までの、学生たちが受講したほかの科目の成績一覧があるとする。さて、あなたはどうすべきだろうか？

　いちばん簡単な方法は、成績の悪い学生を指名して補習に出させることだ。だが、これは必ずしも確度が高くない。平均点は低くても、あなたが担当する科目は得意とする学生もいる。そんな学生を補習クラスに指名したらプライドを傷つけるし、下手をすると、やる気をなくしてしまいかねない。逆に、平均的な成績はいいけど、あなたが教える科目だけは不得意な学生がいるかもしれない。平均的に成績が悪い学生だけを補習に誘ったのではこのような学生がもれてしまう。じゃあ、どうする？

　幸いにもあなたの手元にはもう一つのデータがある。それはつい先日合否を付け終わった前年のクラスの学生の成績一覧だ。これと、これから受け持つクラスの学生の成績を突き合わせれば、どの学生が落第しそうかわかる。

　たとえば、前年のクラスで50人中、10人が落第し、残りの40人は大丈夫だったとする。そこで、あなたはまず、これから受け持つクラスの学生の過去の成績一覧と、すでに合否がわかっている学生の過去の成績一覧を比べて、これから受け持つクラスの学生一人ひとりについて、すでに合否がわかっている学生の中から、なるべくほかの科目の成績が似ている学生を k 人ずつ、選ぶとしよう（k は 1 以上の整数である数、たとえば

3とかに決める）。

　ここで「成績が似ている学生」をどう選ぶかは問題だが、たとえば、成績がA、B、C、Dの4段階であるとすると、これから教えるクラスの一人ひとりについて、合否がわかっているクラスの学生の中から、各科目のA、B、C、Dの評価が一致している科目数が多い順にk人選ぶ、とかでいいだろう。

　こうやって、これから受け持つクラスの学生全員に、合否がわかっているk人の前年の学生が紐づいたら、その合否を調べる。そして、もし、紐づけられたk人中不合格者のほうが合格者より多い学生がいたら、その学生を不合格候補者として認定し、補習クラスに呼ぶ。

　なんだか非常にうろんな方法な気がする。だが、この方法はk近傍法と呼ばれていて、立派な機械学習の方法で、いろんな機械学習の教科書に紹介されている。嘘だと思ったら、「k近傍法」という名前をインターネットで検索してみればいい。さぞかし多くの項目がヒットするだろう。

　こんな方法で、まだ授業を受けてもいない学生の合否が予測できるなんておかしいという気がするだろう。だが、それにはちゃんとした理由がある。

　まず、ある科目はこれからあなたが教える科目の合否とは無関係としよう。だとしたら、どうやってk人を集めても、その

科目の成績はk人の中でまったくばらばらで、Ａ、Ｂ、Ｃ、Ｄの数はほぼ同じはずだ。裏を返せば、この科目がどんな成績であるかは、k人を選ぶときに関係ない、つまり、選択に使わなかったのと同じ、ということだ。

逆に別のある科目の成績がＤの学生は、あなたの科目も落第する可能性が高い、としよう。このとき、ある学生があなたのクラスで不合格になるような場合には、その学生の近傍のk人も、不合格だった学生が多いはずで、その科目の成績がみなＤであることが予測できる。つまり、その科目は合否を予想するのに重要だ、ということだ。

たいせつなことは、このk近傍法というやり方をとれば、どの科目の成績が、あなたのクラスの合否に関係するか、何も考えなくても「自動的に」選ばれて、合否を予想してくれる、ということだ。

このあなた自身が、あらかじめどの科目を合否予測に使うかを決めなくても自動的に合否判定に使われる科目を選んでくれる、というところがまた機械学習の重要な性質だ。あなたが学ぶのではなく、k近傍法というアルゴリズムが学ぶ。そして、あなたはk近傍法がどの科目を使って合否判定を下したかさえ知る必要がない。

さて、最後に。このアドバイスに従って、実際に補習クラスに出席すべき学生を決めろと言われて、あなたはやる気になれ

るだろうか？　たぶん、無理だろう。そこでちょっとでも安心してもらうためにこんな方法を提案しよう。

　今度はさっきと違って、すでに合否がわかっている前年の採点済みのクラスの一人ひとりについて、同級生の中から同じ基準で、k 人の近傍を集める。そして、個々の学生の実際の合否と、k 近傍法が予測する多数決原理による合否予測がどれくらい一致するか調べるのだ。もちろん、完全には一致しないだろう。だが、ある程度一致はするはずだ。きっとあなたはこんな表を手にすることになる。

		k 近傍法によって予測された合否	
		合	否
実際の合否	合	30	10
	否	5	5

表1-1　k 近傍法の予測と現実の比較表

　これであなたはだいたい、k 近傍法をこれから教えるクラスに使うとどれくらいの合否判定の予測精度があるか推定できる。

　k 近傍法は15人が落第する、と予測したが、実際にはそのうち、本当に落第するのは5人だけだ。一方、落第した10人のうち、5人は見逃している。これがいいか悪いかはわからないが、これであなたは、k 近傍法を用いた、合否判定システムを（精度予測付きで）手にしたことになる。これでも立派な機械学習をやったことになるのである。

　同時に k 近傍法が、いわゆる穴埋め問題を関係性「だけ」

を使ってやっている、AI＝機械学習の典型的な手法であることにも気づいてほしい。あなたがこれから受け持つクラスの学生の「合否の予測」という「穴埋め問題」を「前年の受け持ちクラスの誰と似ているか」という「関係性だけ」を用いて予測できているのだから。

　最後に、前節で紹介した連想ゲームは、この k 近傍法の文脈で考えるとどうなるだろうか？　まず、k 近傍法ですでに各単語の k 近傍は求まっているとする。つまり、各単語の k 個の「もっとも近い単語」のリストはもうできているとする。この k 近傍を探すために、単語どうしの近さは、いろいろな指標の一致度で作れるだろう。たとえば、その単語は動詞なのか、名詞なのか、とか、名詞だとしたら果物なのか、人名なのか、はたまた地名なのか、などを用いて。で、連想ゲームに k 近傍法で挑むとすると、きっとこんな感じになる。ヒントの単語が出されたら、解答者はまずはその単語の k 近傍のうち、もっとも近い単語を答える。それで当たればよし、だめだったら次のヒントを待つ。そして、1つ目のヒントと2つ目のヒントの k 近傍を見て、両方に入っている単語を答える。これを繰り返していけばだんだん候補は絞られて、最後には当たるはずだ。

　もし、当時、k 近傍法による機械学習システムがあれば、きっと連想ゲームで連戦連勝することができたに違いない。その前に、番組が終わってしまったのは、テレビ局にとっては幸いというほかないだろう。

位置と距離

　とはいうものの「k近傍法はBERTやBonanzaと同じような穴埋め問題をやっている」といわれて、ちょっと「ん？」となってしまった読者もいるかもしれない。BERTは文章の中の欠けた単語を、Bonanzaは盤面の中の（次の一手という）欠けた駒を推定している。これらの場合、文章中の単語と単語の間、あるいは、盤面の駒と駒の間には目に見えるはっきりとした位置関係がある。だから、関係性を予測しているといわれたらしっくりくる。だが、クラスに属する学生と学生の間にわかりやすい位置関係なんて存在しない（いや、クラスの着席位置という位置関係がある、とツッコむ読者はいないと思う）。「関係性」といわれても位置関係がはっきりしない以上、どういう関係性なのかじつにわかりにくい。k近傍法はどのような位置関係に基づいて「関係性」を認識しているのだろうか？

　実はk近傍法は、この「学生の位置と距離」をまず決めてから「そばにいる（＝距離が近い）ほうからk人選ぶ」というのが本来の定義なのである。いきなりその話をすると難しくなるのでそれは飛ばして「似ているほうからk人選ぶ」という話をしたのだ。

「なんで位置関係の話をしたらわかりにくくなるんだ？　どう考えてもそのほうが簡単なのでは？」と思ってしまう人もいると思う。確かに、位置関係がわかっていたほうがいい。それが「目に見える」位置関係なら。

「位置関係はみな、目に見えるのでは？」と思うかもしれない。確かに、単語どうしの位置関係は、紙の上に印刷された、あるいは、コンピュータのディスプレイに映し出された文章の中では明らかだし、盤面の駒の位置関係も目で見ればすぐわか

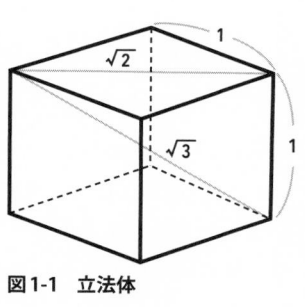

図1-1　立法体

る。じゃあ、なんでさまざまな科目の過去の成績に基づいて、学生どうしの近さがわかっているのに、学生の位置関係は見てわかるように表現できないなんてことになるのか？

それは有り体にいって「平面上の位置関係では表現できないから」ということになる。「距離がわかっているのに平面の位置関係で表現できないなんておかしい」と思うかもしれない。が、そういうことは普通にある。たとえば、立方体の8つの頂点を考えよう。

その中のどの2つの頂点の間の距離も簡単に測ることができる。立方体の辺の長さが1だったら、同じ面の対角線上にある2頂点間の距離は$\sqrt{2}$で、立方体の対角線の両端に位置する2頂点間の距離は$\sqrt{3}$である。立方体の8つの頂点の間の距離はこの3種類だけなので、8つの頂点の間の距離は完全にわかっている。じゃあ、8つの頂点をこの2頂点間の距離を保ったまま、平面に配置することはできるだろうか？　実は、絶対にできないのである。嘘だと思ったらちょっとやってみてほしい。

だから、距離が定義できても、平面上の配置として表現することができるとは限らないのだ。

そして、残念ながら、「過去の科目の成績の一致度」で定義された学生間の近さの情報（たとえば、学生Aは学生Bより学生Cに近い、とか）を平面間の距離に直して表現することは一般的には無理なのである。

たとえばこんなふうだとしよう。

	学生1	学生2	学生3	学生4
科目1	A	B	C	D
科目2	B	B	B	B
科目3	C	C	C	C
科目4	D	D	D	D

表1-2　4人の学生の4科目の成績

すると学生間での成績の一致数は、

	学生2	学生3	学生4
学生1	3	3	3
学生2		3	3
学生3			3

表1-3　4人の学生間の成績の一致度

となる。つまり、学生1から学生4はお互いに等距離になくてはならない。しかし、4つの点がお互いに等距離にある配置は正四面体にほかならず、平面上の配置ではけっして実現でき

ない位置関係である。だから、距離が与えられていても平面で
それを表示できるとは限らない。

　それでは表1-2に見るような4人の学生の位置関係は平面内
の位置関係ではなく、どんなところでの位置関係なのか？
「お互いに等距離にある4つの点は正四面体なんだから、正四
面体の位置関係なんだから3次元、つまり、我々がふだん生活
している空間の中の位置関係なのでは？」と思うかもしれな
い。そうだったら話は簡単なのだが、実際はそうではない。実
はここのところが「機械学習をどれだけ理解できるかの分か
れ目」なのだ。ある位置関係が3次元空間で表現可能だとい
ってもそれが実際に3次元における位置関係かというとそうと
は限らない、ということだ。

　ちょっと何言っているかわからないと思うが、要するにこう
いうことだ。たとえば、三角形を考えよう。三角形は平面上の
位置関係である。だから、位置関係を表現するのに上下方向の
位置と、左右方向の位置しかいらない。しかし、実際の三角形
が我々の空間に実在すれば、高さも指定しないといけないだろ
うから、上下、左右、方向とは別に奥行き方向の位置も指定し
なくてはならないだろう。それは地球上のすべての位置は緯度
と経度という2つの数字だけで表現できるけれども、宇宙全体
から見たら、それは3次元の空間にあるのだから、3つの数字
が与えられないと本当の位置は指定できない、というのと同じ
だ。だから、位置関係が3次元空間で「描ける」からといっ
て実際に3次元に存在しているかどうかはわからない。

それでは表1-2の学生4人の関係はどんな空間にあるのか？それを知るためにはまず距離をどうやって計算するか考えないといけない。4人の学生の間で成績が一致している科目の数は3科目だ（22ページ、表1-3）とはいってもこの「3」という数字はそのままでは距離として使えない。なぜなら、距離というのは似ていたら小さくならなくてはいけない量だからだ。成績が一致している科目数は似ていれば増える量であり、真逆である。そこで「成績が一致していない科目数」を代わりに考えよう。

	学生2	学生3	学生4
学生1	1	1	1
学生2		1	1
学生3			1

表1-4　4人の学生間の成績の不一致度

　これでも学生1から4が等距離ということは変わらないし、今度の「成績が一致していない科目数」は「成績が一致している科目数」と違って、ちゃんと似ていたら小さくなる量になっている（成績が一致していない科目数が少ない、ということは成績が似ている、ということだ）。

　次にこの「成績が一致していない科目数」が距離になるような「位置」の表現を考えたい。なぜならばそのような位置の表現こそが実際に学生がどのような空間でどのような位置関係にあるか、ということを表現するはずだから。これは簡単じゃないが、以下のように考えればできる。

	学生 1	学生 2	学生 3	学生 4
科目 1	A	B	C	D
科目 2	B	B	B	B
科目 3	C	C	C	C
科目 4	D	D	D	D

表1-2　4 人の学生の 4 科目の成績 (再掲)

　まず、表1-2で科目2から科目4は学生4人の間で一致しているので、「成績が一致していない科目数」には関係ないから無視する。4人の学生の間で科目1の成績がまったく一致していないことを説明するために4つの「数」を考える。

　　1 番目の数：ある学生の科目1の成績がAだったら1、
　　　　　　　　そうじゃない場合は0。

　　2 番目の数：ある学生の科目1の成績がBだったら1、
　　　　　　　　そうじゃない場合は0。

　　3 番目の数：ある学生の科目1の成績がCだったら1、
　　　　　　　　そうじゃない場合は0。

　　4 番目の数：ある学生の科目1の成績がDだったら1、
　　　　　　　　そうじゃない場合は0。

そうするとこんな感じになる。

	学生 1	学生 2	学生 3	学生 4
1番目の数	1	0	0	0
2番目の数	0	1	0	0
3番目の数	0	0	1	0
4番目の数	0	0	0	1

表1-5　4人の学生に割り当てられた4つの「数」

次に、この4つの数を使って、学生どうしの距離を決めよう。ここでは「4つの数それぞれの差の絶対値の和」としてみよう。そうすると、学生1と学生2の「距離」は、

$$|1-0|+|0-1|+|0-0|+|0-0|=2$$

（｜　｜は間にある数の絶対値を表す）

となる。ほかの学生の組み合わせも全部考えると、

	学生 2	学生 3	学生 4
学生 1	2	2	2
学生 2		2	2
学生 3			2

表1-6　表1-5の「数」に基づく4人の学生間の「距離」

となって、4人の学生の距離が同じという結果を再現できた。「成績が一致していない科目数」の2倍の値になってしまったが、位置関係を考える場合、定数倍はどうでもいい（メートルで測るのとセンチで測るのとで距離の値は変わってしまうが、位置関係は変わらないのと同じことだ）。また、「4つの数それぞれの差の絶対値の和」は「似ているほど小さい数」なのでちゃんと距離の条件になっている。だから表1-6の「距

離」はちゃんと「等距離にある 4 つの点 = 正四面体の頂点」の関係になっている。

　だとすると、4 人の学生に割り当てられた 4 つの数字の組は「場所」を表していなくてはいけない。ところが、ここには数字が 4 つある。3 次元まで考えても、場所を表現する数字は 3 つまでしか必要ないはずだ。「4 つ」ってどういうことなのか？

　ここで、とても SF チックに妄想をたくましくして、「この学生の位置関係は 4 次元の空間に配置されている」と考えるのが機械学習の考え方の基本だ。つまり、この 4 つの数字は、4 次元の中にある 4 つの方向に沿った場所を表すと考える。「ホァ？」となってしまうのが当然だとは思うがこう考えてほしい。

「位置関係（= 距離）が同じならそれが何次元の空間に置かれていようともそれは同じものだ」

　ちょっと前（23 ページ）に三角形の 3 つの頂点の位置関係は平面で書けるが、実際に、我々が住んでいる空間 = 3 次元空間を考えたら、各頂点の「位置」を表現するのに、数字が 3 つ（たとえば、上下、左右、奥行きの 3 方向の位置関係をそれぞれ表す 3 つの数）必要になってしまうと述べた。同じように、正四面体の頂点の位置関係、つまり、お互いに等距離にある、という位置関係で、3 次元でも十分表現できるはずの 4 人の学生の関係は 4 次元で表現することも可能なのだ、位置関

係、つまり、距離が同じでさえあれば。

　機械学習とは関係性の予測にほかならない、と述べたが、め んどうなことにこの関係性（ここでは距離）というものは、 表現の仕方が一通りではない。それどころか、同じ関係を表現 する無限のやり方がある。だから、正四面体の頂点という本当 なら3次元で表現できる関係が4次元という変な空間でも表現 できてしまう。そして、ほとんどの場合、我々が手にするのは 「本当は3次元の関係なのに4次元で表現されてしまっている データ」（表1-5）なのである。そしてAI＝機械学習、とは 「4次元で表現されてしまっているデータ」から正しく「これ は本当は3次元の空間で表現できる正四面体の頂点の関係だ」 と見抜くことにある。

　k近傍法という機械学習の方法が比較的わかりやすく、実行 しやすい、かつ、簡便な方法（こんなんでいいの、と拍子抜 けした人もいるかもしれない）に思えるのは、この「同じ関 係性がいろいろなやり方で表現できるので、その中から人間に わかりやすい表現を選ぶ」といういちばん難しい部分をすっ飛 ばしているからだ。何しろ、どんな表現であっても不変な「距 離」に着目し、「距離が短い＝もっとも似ているk人の学生を 選べ」ということだけでできてしまうのだから。

　残念ながら、ほかの機械学習の方法はこうはいかない。ほか の機械学習は、後の章でみるように、場所や位置を直接表す数 字を扱うことが要求されるからだ。表1-2を見て、「4人の学

生の関係は正四面体の頂点の関係だ」とすぐわかる人はまず
いない。だが、「成績が一致していない科目数」を表現する
「それぞれの差の絶対値の和」になるような数で、かつ、4 人
の学生の関係は正四面体だと「すぐ」わかるような 3 つの数
の組を 4 人の学生に割り当てるのは難しくない。たとえば、

	学生 1	学生 2	学生 3	学生 4
1番目の数	0	1	1	0
2番目の数	0	0	1	1
3番目の数	0	1	0	1

**表1-7　4 人の学生間の配置が正四面体である場合の 3 次元空間でのわか
りやすい座標**

とすればいい。ここで登場する 0 と 1 には何の意味もない。
4 人の学生の位置関係が正四面体になるようにできる、僕が考
えついた一番簡単な数の組み合わせというだけで、それ以上で
も以下でもない。有り体にいって他にいくらでも可能性はある
と思う。これでちゃんと「3 つの数それぞれの差の絶対値の
和」が 4 人の学生の間です
べて「2」になっている。
正四面体の頂点の位置関係
は 3 次元で表現できるのだ
から、場所を表す数が 3 つ
で十分なのは当然なのだ。
そしてこの 3 つの数を、上
下、左右、奥行きの位置だ
と思って絵を描いてみれば

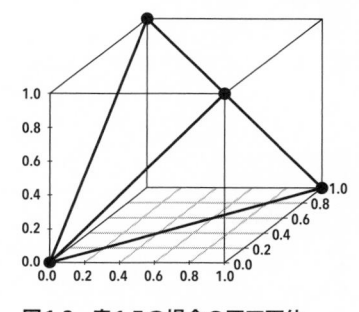

図1-2　表1-7の場合の正四面体

実際にそれが正四面体の位置関係になっていることがわかる。

　が、一方でもはや、表1-7の1番目から3番目の数、というものが元の表1-5の1番目から4番目の数とどういう関係にあるかはちっともわからなくなってしまった。正四面体になるように適当に決めただけなのだから関係が見えないのも当然だ。

　だから、機械学習とは、元のデータである表1-2から簡単に計算でき、意味がわかりやすい（が位置関係が見えにくい）表1-5の位置表現から、表1-2のデータからはどう逆立ちしてもたどり着けない（ように見える）、（意味がわかりにくい一方で位置関係がわかりやすい）表1-7の位置表現をどう導き出すか、ということを手を替え品を替えやっているのだ、とい

	学生 1	学生 2	学生 3	学生 4
科目 1	A	B	C	D
科目 2	B	B	B	B
科目 3	C	C	C	C
科目 4	D	D	D	D

表1-2　4人の学生の4科目の成績 (再掲)

	学生 1	学生 2	学生 3	学生 4
1番目の数	1	0	0	0
2番目の数	0	1	0	0
3番目の数	0	0	1	0
4番目の数	0	0	0	1

表1-5　4人の学生に割り当てられた4つの「数」 (再掲)

ってしまっても過言ではない。そして、この本はそのための方法を「手を替え品を替え」説明することになる。

影絵で考える ──主成分分析

　機械学習の本質は、一見するとわかりやすく見えるが、実際は相互の関係性（いまの場合は正四面体の4頂点）がわからない情報から、表1-7のような元のデータとの関係はパッと見ではわからないが関係性はわかりやすい（実際に4点をプロットしてみれば正四面体だということがすぐわかる）「数」を作って、人間の理解を助けることだ、と書いた。

　ここではそれをやるためのいちばん簡単な方法、つまり影絵を使う方法を紹介しよう。

　図1-3は福田繁雄という有名なアーティストが1987年に発

図1-3　『ランチはヘルメットをかぶって…』（福田繁雄デザイン館所蔵）

表した『ランチはヘルメットをかぶって…』という作品だ。作品そのものを見ても、なんだかよくわからない鉄くずの塊にしか見えない。だが、影を見るとそこにはバイクが映っている。これと同じようなテクニックを使うと4次元の関係のよくわからないデータから3次元の正四面体という形をあぶり出すことが可能になる。『ランチはヘルメットをかぶって…』では影絵が映る平面と直交した方向の凹凸がバイクという形の認識を妨げる。影絵を見ることでそれが見えるようになるのは、バイクが描かれている平面の情報と、それに直交した意味のない凹凸を分離することで意味がある情報だけを取り出せるからだ。影絵は「ある方向から見ることで次元を下げて余分な情報を見えなくさせる」手法である。これと同じことをすると、表1-5の中の正四面体の構造があぶり出せる。立体という3次元から影絵という2次元に行くことで本質が見えるようになるのと同じように、表1-5の4次元の世界を3次元の影絵にして見るわけだ。こういう作業を数学的に（コンピュータを使って）やることができるのが「**主成分分析**」という方法である。

　図1-4は表1-5の4次元のデータを主成分分析で3次元の影絵に直した結果だ。表1-7みたいなわかりやすい向きではないけれどもちゃんと正四面体の格好になっているし、4頂点の間の距離を計算してみるとちゃんと等しい。

　残念ながら主成分分析が数学的に何をやっているかを理解するには大学の理工系の1年生程度の数学力が要求されてしまうので説明はできないのだが、いったい主成分分析は、どういう

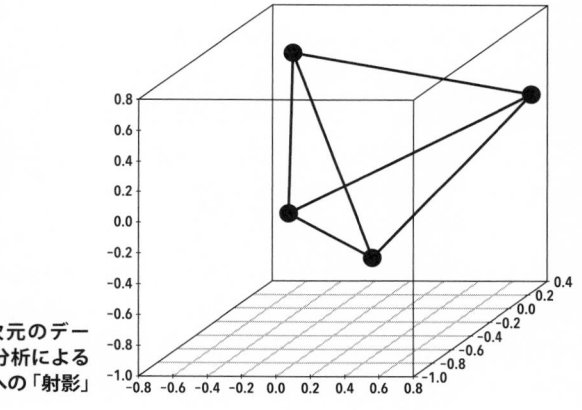

図1-4
表1-5の4次元のデータの主成分分析による3次元空間への「射影」

方法で4次元の中に埋め込まれた3次元の構造を見つけているのかちょっとだけ説明しよう。

『ランチはヘルメットをかぶって…』の場合、最初からライトが当たっていて影絵が投影されているからわかりやすい。だが、もし、これがゴロンと床に転がっていて、「これちゃんとした形に見えないと思うけど、ある方向から見たら、なんかの形が見えるよ？　やってみて」と言われたら、どうだろう？実際にこれがどれくらいの大きさかというとステンレス製で差し渡し1～2mの巨大なオブジェなので、ぐるぐる回して見るわけにはいかないのだが、もし、手に乗るくらい小さいオブジェだったら、明かりの下で影を作りながらくるくる回して意味のある形（いまの場合はバイク）が映るように方向を探すことはできそうな気がするだろう。

主成分分析もいろいろな方向に影絵を作ってみて意味のある方向を探すというのは同じなのだが、コンピュータはバイクの絵を見て「お、バイクの絵になったからこっちが正解だ！」などと人間のように考えることはまずできないから、「意味のある影絵ができる方向を探せ」みたいな無茶ぶりは通ぜず、別のやり方が必要だ。どうやるか？

　まず、コンピュータはどうせ絵を見てもわからないので、平面じゃなくて、線に投影することにする。「線の上の影絵って何よ？」って思うかもしれないが、こうすればいい。まず、物体、それは福田繁雄のオブジェでも、４人の学生の関係性を示す正四面体でも構わないが、それを平面に投影して影絵を作る。影を作ったら、その影絵の輪郭をなぞるように影が映っている紙かなんかを切り抜く。次に影の形の薄い切り絵ができたら、それを好きな向きにまっすぐに立てて、厚みが映らないように影絵を作る。そうすると映るのは１本のある長さの線になってしまうだろう。何のことはない、線の上の影絵、というのは物体のとある方向に沿った長さ、みたいなものだ。

　「平面に映すときの向き」と「切り抜いた紙を立てるときの向き」の組み合わせは無限にあるので、ともかくひたすらこれを繰り返して「線がもっとも長くなる」向きを見つける。その向きが見つかったら今度はその向きが紙面に垂直になるように（つまり、線に投影された影絵の長さの最大方向が今度は影絵には映らないように）して影絵を作る。作った影絵を切り抜いてまっすぐに立て、またくるくる回して、影の線が最長になる

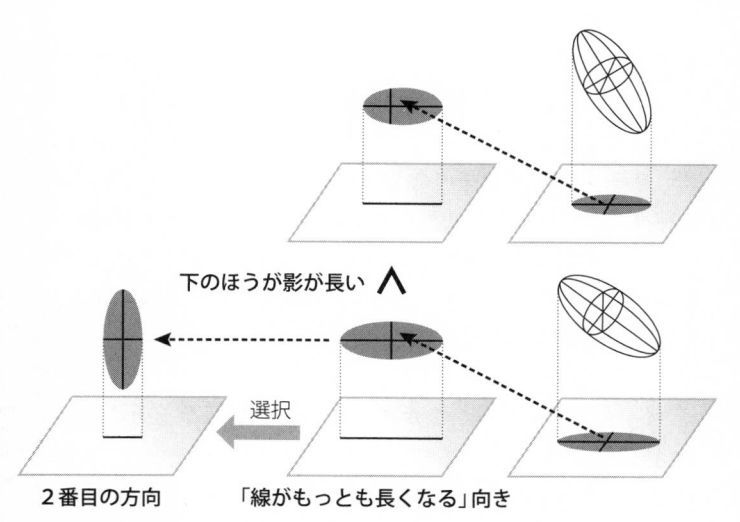

下のほうが影が長い

選択

2番目の方向　　　　「線がもっとも長くなる」向き

図1-5　主成分分析の模式図

方向を探して、これを2番目の方向にする。最後に、最初の方向と2番目の方向のどっちにも垂直方向の「線上の影絵」を作って長さを記録して終わる（ここで本当は「線上の影の長さ」とは「分散」というやや別の数学的な量を計算しているのだが、それはあまり本質的ではないので詳細は省略する）。

　こうやって作ったたくさんの方向のうち、どれか2つをとってきて、その方向の影絵を作り、人間が見て意味のある絵になっているかどうか調べる。たいていの場合、意味のある影絵は最初の方向と2番目の方向で作った影絵の中にあるはずだ。断言はできないが、『ランチはヘルメットをかぶって…』もこのやり方で2つの方向を見つければその方向の影絵がきっとバイ

クの絵になる。

　なんでこれがうまくいくと期待できるか、というと、一般に、データには「意味のある方向」と「ない方向」があると期待されるからだ。三角形の板をこの方法で処理すれば、必ず三角形が映る影絵が選ばれるだろう。なぜなら厚み方向の長さは非常に小さく、その方向に沿った線上の影の長さはとても短いはずで、きっと最後に選ばれる方向になるからだ。

　『ランチはヘルメットをかぶって…』の場合はどうだろう。僕は実物を拝見したことがないのでわからないが、バイクの影絵が映っている方向の広がりより、それに垂直な奥行き方向の幅のほうが大きい、ということはないと思う。もし、そんな構造だったら倒れてしまいそうだし、このオブジェのサイズは186×79×108cmだということなのできっと79cmのほうが大まかにはバイクの絵が描かれた平面に垂直な方向の凸凹なのだろう。だったら、主成分分析で見つかる、線上の影がいちばん長い方向と、2番目に長い方向がきっとバイクの絵が映る方向になっていることだろう。

　この「長い方向に意味がある」という考え方は、かなりご都合主義的な感じがする。実際、『ランチはヘルメットをかぶって…』だって、影絵に垂直な方向にいくら大きな凹凸をつけても影絵は変わらない（もっともそうなったら「立たない」からオブジェとしてはNGだろうけど）。そもそも、「意味」という数で表しようがないものを、「長さ」という数の大小で評

価するのは無理な気がする。

　だが、この「意味」を「数」で表現するというのは過去にもなされたことだ。情報理論の創始者として有名なクロード・シャノンは実際「情報の量」を「数」で定義した。ある長さの文書に意味があるかどうかは、「中身」が理解できなかったら測りようがないと思うのが普通だろう。だが、シャノンは「ある文書に含まれる情報を表現できる最小の文書の長さ」で定義した。

　どういうことか。

　１万語で書かれた、総計５万文字からなる文書があるとしよう。この場合、１語あたり平均５文字である。日本語だと「単語」の定義が不明確だから英語の文書にしよう（英語なら単語と単語の間に空白が入っているから単語の定義が明確だ）。次にその文書に含まれている単語の種類を調べる。その種類数はきっと１万語よりかなり少ないだろう。何度も出てくる単語があるからだ。たとえば、単語は5000種類しかないとする。この単語に0001から5000まで番号をつける。するとこの文書は４桁の数字の組み合わせで表示できるので、４文字×１万個＝４万字で表現できる。１万語の文書の１単語あたりの平均の長さは５文字だったから、空白の分も合わせて平均１単語あたり６文字使っている。よって、数字で表現した４万字の数字の列のほうが、１万語の文書の総文字数５万字より短い。つまり、１万語の文書に含まれる「本当の」情報量は実は５万字ではなく、４万字にすぎないことがわかる。

この考え方はなんか変な気がする。まず、1万語の単語の「順番」をランダムに変えてしまえば、文書の「意味」は変わってしまい、普通は「無意味」なものになってしまう。なのにシャノンが定義した「ある文書に含まれる情報を表現できる最小の文書の長さ」は同じだ。だから、一見、こんな情報量の定義は無意味に見える。

　にもかかわらず、いまではシャノンの考え方は「正しい」として受け入れられている。意味があるかないかではなく、「ある文書に含まれる情報を表現できる最小の文書の長さ」で定義した量こそ、情報量だと。結局のところ、「意味」があるかどうかは主観的なものだ。見たことがない言語の「意味」はわからないだろう。かといって、その言語が解読できた瞬間、その文書の情報量が増えるというのは不合理だろう。だから「ある文書に含まれる情報を表現できる最小の文書の長さ」で情報量を定義するのは妥当なのだ。

　だったら、たぶん、主成分分析で「線上の影がいちばん長い方向」に情報が入っている、というのもきっと正しい。ランダムなゆらぎに見えても、その「意味」を我々が理解できないだけかもしれないのだから。

　最後に表1-5の4次元のデータから3次元の正四面体の絵を得る場合を考えよう。

　この場合も最初の3つの方向に正四面体は入るはずだ。なぜ

	学生 1	学生 2	学生 3	学生 4
1番目の数	1	0	0	0
2番目の数	0	1	0	0
3番目の数	0	0	1	0
4番目の数	0	0	0	1

表1-5　4人の学生に割り当てられた4つの「数」(再掲)

なら、4番目の方向は厚みが0のはずだからだ。それは三角形の板を平面に映るように面に平行に置いて影を作ったら、その影に垂直な方向は厚みが0（実際は、紙の厚みがあるでしょうけど）なのと同じことだ。だから、4次元の世界に埋め込まれた正四面体が、主成分分析で見つかった最初の3方向で決まる3次元の空間にきれいに入ってくれるわけだ。

　こんなふうに、次元が大きい空間に広がっているものを小さい次元の空間になるべくうまく押し込む方法を、機械学習の分野では「埋め込み」といっている。主成分分析は典型的な埋め込みを行う機械学習である。埋め込みは人間がわかりやすい小さい次元での表現を作ることで、機械学習の目的である関係性の予測をよりやりやすくしてくれる。目で見てもそうとわからない表1-5のデータより、目で見て正四面体だとはっきりわかる表1-7のデータのほうが関係性は見出しやすいのである。

近いか遠いか、それが問題だ ——多次元尺度構成法

　主成分分析は、表1-5みたいな4次元の空間に埋め込まれて

しまっている正四面体という３次元の構造を、影絵の応用というやり方であぶり出してくれる、機械学習の非常に便利な方法だった。だが、高い次元に存在している構造を人間が見やすい低い次元に埋め込んでくれる方法は主成分分析だけではない。

主成分分析は、「線上の影絵が長い順番にお互いに垂直な方向を決めていく」というアルゴリズムだった。そうやってできた構造は実際に正四面体になっていた。だが、正四面体である、つまり、４人の学生間の距離が同じだという構造が得られた、というのはあくまで結果論である。機械学習でたいせつなのは関係、つまり、距離である。距離に焦点を当てた、つまり、距離がなるべく保存されるように、高次元の構造を低次元に埋め込んでくれる方法はないだろうか？

幸いなことにそういう方法はある。その方法は**多次元尺度構成法**と名付けられている。

主成分分析の場合は、まず、方向が求まって、何個の方向を使うのかは、結果を見てからあとで決める。「バイクが映っているからこの方向でいい」とか「三角形が映っているからこの方向だ」とか「正四面体が見えているからこの３次元でいい」とかいうふうに。だが、逆に「何次元に埋め込むか＝何個の方向を使うか＝場所を表現する数を何種類用意するか？」を先に決める方法だって可能だ。それが多次元尺度構成法である。

多次元尺度構成法では、まず、空間を決める。２次元とか３

次元とかが人間にわかりやすいからいいと思うが、それはどうでもいい。次にその中に、関係を求めたい数だけの点（たとえば、4人の学生の関係を見つけたいなら4つの点）を適当にばらまく。さらにその空間で距離を計算して（たとえば、差の絶対値の和、とか）、元の距離（たとえば、4人の学生の成績が異なる科目の数、とか）と比べる。空間内での距離が元の距離より遠かったら2点をちょっと近づけ、近かったらちょっとだけ遠ざけてから、また距離を計算し直す。これを何度も繰り返して、なるべく元の距離に近くなるように動かしていき、もう、改善できなくなったらあきらめてそれを答えにする。

　図1-6は表1-4の距離を満たすべき距離として3次元を仮定して多次元尺度構成法を使って求めた構造だ。ちゃんと正四面体の構造が見つかっているだろう。多次元尺度構成法は影絵の原理を用いる主成分分析とは異なった原理を採用する、埋め込みを行う機械学習の方法だが、ちゃんと同じ結果を与えてくれる。

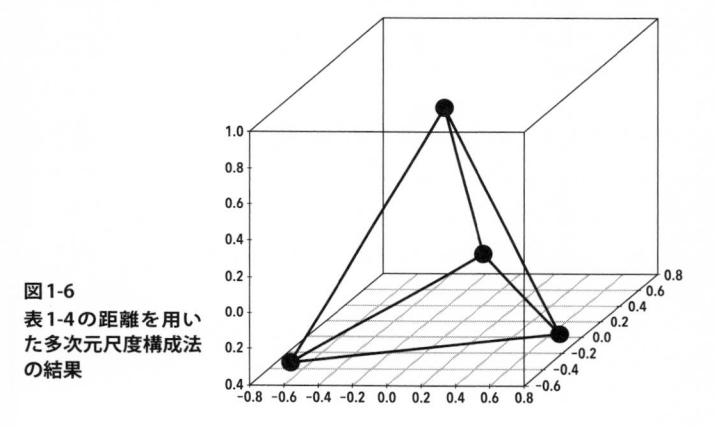

図1-6
表1-4の距離を用いた多次元尺度構成法の結果

じゃあ、多次元尺度構成法と主成分分析は等価なのだろうか？　もし、本当の正解がある場合はそうだ。だが、使っている次元の数＝位置を表す数の種類数が、本当に必要な次元より小さい、つまり、近似的な構造を求める場合には結果が異なる。これはけっこう重要なことだ。扱っているデータの中に入っている構造が、２次元や３次元という人間に可視化しやすい空間であることのほうがまれだ。もっと高い次元の構造だけど、目に見えることが大切だという理由で、２次元や３次元に「無理やり」埋め込まないといけないことはよくある。

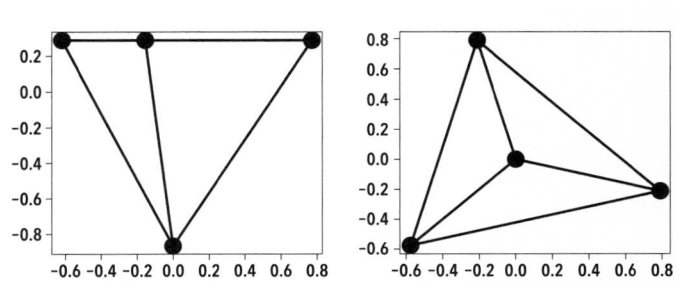

図1-7　正四面体を強引に平面で表現した時の主成分分析（左）と多次元尺度構成法（右）の結果の比較

　本当は３次元の正四面体であるはずの４人の学生の位置を無理やり平面に埋め込んだのが図1-7である。図1-7（左）は主成分分析で、影絵原理で求まる最初の２方向を採用した場合、図1-7（右）は多次元尺度構成法で平面を仮定した場合である。多次元尺度構成法のほうがよい結果なのは明らかだ。

　なんでこんな差が出るのか？　実は正四面体はどっちに向け

ても「線上の影の長さ」が変わらないのだ。だから主成分分析では方向がまったく決まらない。運悪くこの場合は、最初の2方向が都合のいい方向に選ばれなかったのだ。だが、多次元尺度構成法の場合は距離＝辺の長さ自体が問題になる。「4点（4人の学生）の間の距離は等しくなくてはならない」というしばりがある。そうなると主成分分析で求まった平面内の配置（図1-7〔左〕）はNGで、図1-7（右）の構造のほうが選ばれることになる。

　機械学習の難しいところは、こんなふうに、正解だったら同じ結果を与えてくれる方法が近似計算になったとたん、結果がまったく異なってしまうことだ。たいていの場合、我々は正解を知らない（知らないから機械学習を使っているのだ）。答えがわかっているときには、正解を出すまったく異なった原理の2つの手法のどっちを近似計算のときに採用すべきか、というのはまさにケースバイケースだ。今回の場合、たまたま、非常に等方性がいい正四面体という構造だったため、主成分分析が不覚をとったが、いつも多次元尺度構成法のほうがいい近似を与えてくれるとは限らないのだ。どっちがいいかはそれこそ、表1-1みたいに実際に計算してみて判断するしかない。

　だからこそ、機械学習は奥が深くおもしろいが、逆に、勝てば官軍なところがあり、それが必ずしも手法としてポジティブに評価されない（往々にしてやってみないとうまくいくかどうかがわからないから）、一つの原因になっていると思われる。

第2章

足し上げる
——塵も積もれば山となる

足し算が命 —— 線形回帰

　人は何かを理解するとき「足し上げる」のが好きだ。たとえば、成績。いろんな科目の試験をしてそのスコアを足す。冷静に考えると、理科と数学と国語と社会の点数を「足し上げる」ことにどんな意味があるか不明だ。リンゴ3個とミカン2個で合わせて5個なのと、ミカン1個とリンゴ4個で合わせて5個なのは同じだといっているに等しい。「いや、自分はリンゴ3個のほうがいいよ」と言っても違和感はないが、「国語が100点満点で50点、数学は100点満点で50点で、合わせて200点満点で100点の学生は不合格、かたや、同じ配点で、国語70点、数学30点で100点の学生が合格」とどこかの学校が入試の合否判定でやらかしたら、非難囂々（ごうごう）だろう。だが、なぜ、果物5個だったらその内訳で区別してよいのに、入試の成績はその内訳で区別してはいけないのかわからない。

　で、どうするかというと、国語の成績を入試の合否判定で重視したいという学校は最初っから国語は100点満点、数学は50点満点にしておけという。これだったら、国語のほうが得意な学生を数学のほうが得意な学生より優遇してもOKだという。なんか変だ。

入試というのは「その学校で学ぶのにふさわしい人物」を判定するための一種のテストだ。機械学習の文脈でいえば「入試の成績」と「入学後の適性」という２つの事象の「関係性の予測」にほかならないから、まさに、機械学習にうってつけのテーマのはずだ。

　どうやるか？

　まず、志願者は200名で、うち100名を合格させるとする。試験科目は国語と数学。ここで国語と数学をどういう比重で考えたら「その学校で学ぶのによりふさわしい人物」にもっとも適切か、という問題を考えるとしよう。話を簡単にするため「その学校で学ぶのによりふさわしい人物」度はすでに定量化されているとする（たとえば、入学後の平均成績とか）。

　そのために、昨年の志願者の成績を引っ張り出す。次に、昨年の志願者のうちの合格者の数学と国語の点数を取り出し、適当な比重で足す。たとえば、この比を２：１にしたとすると、この試験は100点（数学）× 2 ＋ 100点（国語）＝ 300点満点になる。次に、昨年の合格者をこの300点満点の成績順に並べる。そして、「その学校で学ぶのによりふさわしい人物」度順に並べた順序と比べる（志願者全体ではなく、合格者を使うのは不合格だった志願者の入学後の成績はわからないからだ）。こんなふうに適当な係数をかけて足し算を作ることを比重和という。

やるべきことはこの「数学：国語の比率が２：１」という比率をいろいろ変えて、「入試の成績順」と「その学校で学ぶのによりふさわしい人物」度順がもっとも一致する比率を探すことだ。そして、この比が見つかったら、その比率で今年の志願者の入試成績を計算し、上位100人を合格させる。これだったら、簡単ではないだろうか？

　さっきの「国語が100点満点で50点、数学は100点満点で50点で、合わせて200点満点で100点の学生は不合格、国語100点満点で70点、数学100点満点で30点で合わせて同じく200点満点で100点の学生は合格」が炎上案件なのは「不公平」だからだ。だが、この比率の計算は事前にできるので、あらかじめ計算して入試要項に書いておくことができる。「過去の入試の成績を機械学習で解析し、今年の数学と国語の比重は3.55：１としました」と書いておけば、非難は起きないだろう。

　この「複数のものを適当な比率で足し上げて予測する」という方法には立派な名前が付いている。それは「線形回帰」という名前だ。また、この線形回帰で「最適な比率」を求める技にもちゃんと名前が付いていて、それは「最小二乗法」という名前だ（残念ながらこの「最小二乗法」を理解するには、またまた大学理工系１年生が勉強する程度の数学的な素養が必要なので、ここでは説明しない）。

　線形回帰という言葉の意味について説明しておく。まず、線形というのは２つのものを足しても性質が変わらないことを意

味する。たとえば、整数と整数は加えても整数だし、実数と実数は加えてもやはり実数である。しかし、奇数と奇数を加えたらそれはもはや奇数ではない。逆にいうと、整数や実数は足したり引いたりしても元の性質が失われないように最初っから全体の集合が定義されている。足し上げる、を実行するには、足し算をしたら元の性質が失われるようでは困るから、線形性は重要である。

　回帰、というのは、多数のものの関係を少ない数で表現することを意味する。たとえば、年功序列賃金、みたいなものは、毎年どれくらい年収が上がるかだいたいわかっているから、年齢がわかるとだいたいの年収がわかる。ある会社の社員の年収という非常に大きい数を「年齢」というたった一つの属性で表現することが回帰である。

　線形回帰は、足したり引いたりすることで、多数のものの関係をわかりやすく表現するやり方である。たとえば、年収なら、年齢と営業成績を組み合わせることでよりよく説明できるかもしれない。年齢と営業成績を適当に足し上げて年収を表現する、というのは線形回帰だということになる。これが線形、とか、回帰、という言葉の意味である。

　最小二乗法というのは、この比重和による予測と実際の値のずれの2乗の和が最小になるように、比重和を決めましょう、というやり方だ。

	年収	年齢	営業成績	（年齢×10−20）万円	（年齢×10＋0.1×営業成績−20）万円
Aさん	320万円	30歳	1000万円	280万円	380万円
Bさん	400万円	35歳	2000万円	330万円	530万円
Cさん	430万円	40歳	3000万円	380万円	680万円
Dさん	500万円	42歳	3000万円	400万円	700万円
Eさん	550万円	50歳	2000万円	480万円	680万円
Fさん	600万円	55歳	3000万円	530万円	830万円
Gさん	700万円	60歳	2000万円	580万円	780万円

表2-1　年収の線形回帰による予測

　年齢、営業成績が表のようであるAさんからGさんの7人に、表2-1のような年収が支払われていたとしよう。たとえば、年齢だけを考えて、〈年齢×10 − 20〉万円、と予測する（年齢と営業成績の比重は10：0）のと、営業成績も考えて〈年齢×10 ＋ 営業成績×0.1 − 20〉万円と予測する（年齢と営業成績の比重は10：0.1）のはどっちがいいか？　前者の場合、「実際の年収」と「予測された年収」の差の2乗を7人について計算して和をとった値は43,220という数だが、後者の場合は199,200になってしまう。だから、この場合、前者のほうがよい、となる。ちなみに、最良（つまり、差の2乗の和が最低になる）の比重和を使うと、年収の予測式は〈年齢×11.72 ＋ 営業成績×0.0002 − 22.95〉万円になって、差の2乗和は2458まで減らすことができる。一人当たりの誤差は7で割って、351、これは2乗だったから平方根をとると18万7350円まで減らすことができる。かなりよい予測といえるだろう（営業をがんばってもほとんど年収には関係ない!!）。

　この線形回帰という手法は機械学習がブームになる前から、普通に理工系の学部では教えられていたので、「線形回帰は機械学習の一種」というと「？」な人も多いと思うのだが、「関係性の予測」という意味では立派に機械学習だ。「国語の点」と「数学の点」という要素を、「合否」という区別に関係づけているのだから間違いない。

　この方法はわかりやすく、単純であるのみならず、我々がふだんやっていることにも近い。『（500）日のサマー』という映画は、ぱっとしない男性が性的魅力あふれる女性に翻弄されるという、まるでライトノベルを地でいっているようなノリのハリウッド映画だ。主人公のトムはサマーに恋をしてしまう。で、サマーは自分を愛しているのかどうか悩み続ける。サマーは簡単に自分に体を許してくれたし、デートもことわらないし、何よりトムといるときは楽しそうだ。なのに、サマーはトムを一生の伴侶にしようと考えているようには思えない。

　周囲から見るとトムはサマーに遊ばれているのがミエミエで、親友たちや妹は「サマーだけが女じゃない」という、「女」を「男」に換えたら腐るほどの映画で連発されたに違いないセリフで、繰り返しトムを諫めるのだが、トムはあきらめがつかない。

　サマーの一挙手一投足に翻弄されるトムが、頭の中でやっていることはまさに、線形回帰だ。サマーの振る舞いのうち、自分に好意を持っていると思しき挙動（たとえば、簡単にベッ

ドインしてくれたこと）に重きを置くのか、それともつれない挙動（いっこうに、両親に紹介したりはしてくれないこと）に重きを置くのか？　その比重和で「サマーに見切りをつけるべきか、どうか」の両極端でトムが揺れ動くのがおもしろいのだ。入試の例とは違って、トムには「前年度の入試の得点と入学後の実績」みたいなわかりやすい情報がない。だから、ＴＶや映画でみた情報や、自分が見聞きしたことを「前年度の入試の得点と入学後の実績」の代わりに使って「本当にサマーは運命の人なのかどうか」を線形回帰し続ける。

　トムの線形回帰の結果がどうだったのか、はたまた、それが正解だったのかどうかは映画を観ていただくとして、こんなふうに線形回帰は我々の直感に近いので、使いやすく、また、ほかの機械学習の方法に比べて計算が簡単なので、まず最初に試してみるべき機械学習の手法として知られている（いま、その辺で売られている機械学習の本はたいていは理工系の素養がある人向けで、線形回帰なんてとっくの昔に勉強済みだから普通は書いていないだけである）。

*k*近傍法と線形回帰

　トムはサマーと自分の運命を占う（予想する）ために、そうとは意識せずに線形回帰を使っていた。だが、これを*k*近傍法で行うことはトムには難しかった。なぜなら、サマーは自分の友人や親類をいっさいトムに紹介しなかったからだ。もし、そういった人々を知っていれば、トムはサマーの人間関係から

サマーの正体を類推できたはずだ。逆にいえば賢いサマーは、本能的に「トムを翻弄するには k 近傍法じゃなく線形回帰をさせないといけない」と知っていたからこそ、自分の周囲の人間とトムが交流を持たないようにしたのだろう。

　自分が持っているデータの比率を自分で考えないといけない線形回帰に比べて、「どれとどれが近いか」という情報しか用いない k 近傍法は、重みを自分で考える必要がない。自分で比率を考えないといけない線形回帰をトムに強いることができたからこそ、サマーはトムを翻弄できたのだし、それを知っていたからこそ自分の親しい人間とトムの交流を遮断した。

　ただ、第 1 章で k 近傍法でやった問題を線形回帰でできないかというとそんなこともない。例を挙げよう。
　第 1 章の表1-2に学生をちょっと加えてみよう。

	学生 1	学生 2	学生 3	学生 4	学生 5	学生 6
科目 1	A	B	C	D	D	D
科目 2	B	B	B	B	D	C
科目 3	C	C	C	C	C	B
科目 4	D	D	D	D	B	D

表2-2　学生 6 人の 4 科目の成績

　で、これから表1-5に相当する表を作る。

	学生1	学生2	学生3	学生4	学生5	学生6
1番目の数	1	0	0	0	0	0
2番目の数	0	1	0	0	0	0
3番目の数	0	0	1	0	0	0
4番目の数	0	0	0	1	1	1

表2-3　表2-2に基づく6人の学生の相違度

ここで、

　　1番目の数：ある学生の科目1の成績がAだったら1、
　　　　　　　そうじゃない場合は0。

　　2番目の数：ある学生の科目1の成績がBだったら1、
　　　　　　　そうじゃない場合は0。

　　3番目の数：ある学生の科目1の成績がCだったら1、
　　　　　　　そうじゃない場合は0。

　　4番目の数：ある学生の科目1の成績がDだったら1、
　　　　　　　そうじゃない場合は0。

だったこと（25ページ）を思い出してほしい。

　さてここで、科目1がDの学生があなたの担当科目で不合格だった、としよう。すると科目1の成績があなたの科目での合格・不合格と（たまたま）関係しているということがわかるので、1番目の数×0＋2番目の数×0＋3番目の数×0＋4番目の数という線形回帰を行ってこの値が1のものは不合格、0のものは合格、と「推定」すればいい。だから、k近傍法の「近い遠い」の判定の前まで戻れば、k近傍法でできることを線形回帰でやることは原理的に可能だ。

じゃあ、どっちがいいか？

これは難しい。第１章に登場した表1-3と同じように学生間で成績が一致している科目の数の表を作ってみれば（表2-4）、k近傍法よりは線形回帰のほうがいいのは明らかだろう。

	学生２	学生３	学生４	学生５	学生６
学生１	3	3	3	1	1
学生２		3	3	1	1
学生３			3	1	1
学生４				2	2
学生５					1

表2-4　6人の学生の成績の類似度

もう一度、表2-2を見ると、学生５と６は４科目中少なくとも２科目の成績が学生１〜４と一致していないため、成績の一致度からいったら、学生１〜４のほうがまとまって学生５〜６とは別にグルーピングされてしまうので、どう考えても合格学生１〜３と不合格学生４〜６という合格グループと不合格グループがそれぞれまとまるようなk近傍は作れそうもない。

	学生１	学生２	学生３	学生４	学生５	学生６
科目１	A	B	C	D	D	D
科目２	B	B	B	B	D	C
科目３	C	C	C	C	C	B
科目４	D	D	D	D	B	D

表2-2　学生6人の4科目の成績（再掲）

じゃあ、いつも線形回帰がいいかというとそうもいえない。

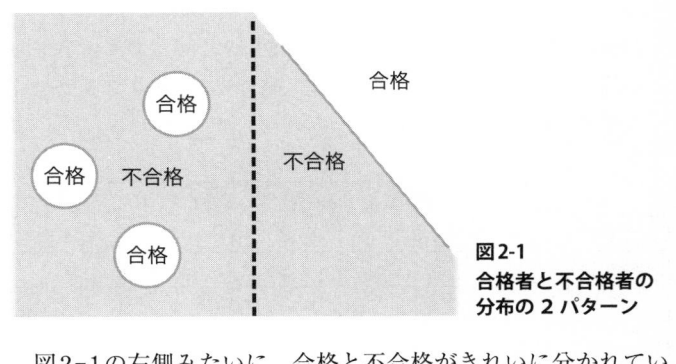

図2-1
合格者と不合格者の
分布の2パターン

　図2-1の右側みたいに、合格と不合格がきれいに分かれていれば線形回帰が有利だ。だが、左側みたいに、不合格の中に合格が交じっているような場合は線形回帰は無力である。なぜなら線形回帰で考えることができるのは、手元にある値に対して単調に変化する場合だけだからだ。サマーが自分の運命の人かどうかをトムが判断するのに、たとえば、「毎日電話で話してくれる時間の長さ」を考えたとしよう。当然、トムは電話してくれる時間が長くなればだんだんサマーの運命の人としての有望度は高まると期待するだろう。一方、電話の時間が1時間を超えたらむしろ時間が長くなればなるほど、サマーの運命の人としての有望度が一転して下がっていく、となったら、トムは困惑するしかない。トムは線形回帰で考えているからだ。だが、k近傍法だったら、きっと世の中には「恋人（候補）との一日の電話時間が1時間以上になったら破綻する」カップルがたくさんいるのだろうから、トムはk近傍法的に考えて「サマーの電話時間が長くなった。これはやばい」と気づけるだろう。

　結局のところ、どの機械学習の手法が適正かは結果からしか
わからない。わからないからこそ、この分野は難しく、一方で
おもしろいわけだ。

交差検定と過学習

　しかし、そうはいうものの、どの機械学習の手法がいいの
か、あとからしかわからないというのでは、事実上使えない。
同じ問題を線形回帰と k 近傍法で予測したら真逆の結果が出た
というのでは困ってしまう。トムはサマーとの運命を占うのに
どっちを使うべきなのか？　このような「本当は結果が出て
からしかわからないけど、それを擬似的に体験しよう」とい
うのが交差検定というやり方だ。

　交差検定の考えは単純だ。手元にあるデータ、たとえば、合
否判定なら、昨年の合格者の成績と、入学後の成績があるとし
よう。線形回帰をするときに、意図的に一部の合格者を線形回
帰から除外して、国語と数学の比率を決める。そして、その比
率で、線形回帰から除外した合格者の「成績」を計算し、入
学後の成績と比較する。そしてこの一致度が最大になるように
比率を決める。

　一見、一部の合格者を線形回帰から除外しようがしなかろう
が、結果は同じように感じられる。だが、実際にはそうではない。

　図2-2のように、国語と数学の点が分布している合格者の集

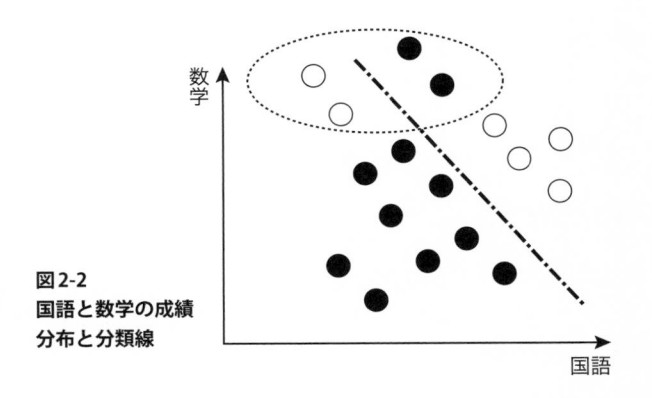

図2-2
国語と数学の成績
分布と分類線

団があったとする。○は入学後の成績が芳しい者、●はそうで
ない者、としよう。ここで交差検定をするために点線の楕円で
囲まれた部分を隠して考えたとしよう。すると図の━・━・━よ
り上、具体的には「数学と国語の合計点がよりよい点の受験
生」を合格させると100％の確率で入学後の成績が芳しい○の
受験生を合格させられるように見える。

　だが、この基準で除外された○と●4名の評価をすると0％
の的中率になってしまう。

　こんなふうに、交差検定を使った的中率評価は、交差検定を
行わない的中率評価より厳しい。これを行うことで「本当は
当たっていないのに当たっている」ように見えることを防げ
るので、機械学習の性能をよりよく評価できる。

　一方で、点線の楕円で囲まれた部分を隠して考えたときに得ら
れた偽りの100％の評価は、過学習と呼ばれている。本当は当た

っていないのに当たってしまっていると誤解してしまうからだ。

　実際のところ、我々は日常的にいつも過学習しまくりだ。ほとんどの人は自分の経験で考えるが、これは実際はサンプルが少なすぎて、たまたま一致しただけのことになりがちだ。でも、我々は交差検定ができるほどたくさんの経験を積んではいないから正しく予測することは難しい。「愚者は経験に学び、賢者は歴史に学ぶ」という有名な格言は、機械学習における交差検定の重要さを表しているともいえる。自分の経験から導き出した結論が歴史という自分とは関係ない事象に当てはまるかどうかを検討することで、自分の予測が正しいかどうか、検証できる。この格言でいうところの愚者とは、自分の経験だけに基づいて過学習してしまったのにそれに気づかない人のことだ、ともいえる。

　『（500）日のサマー』は恋に破れたトムが新しい恋人（候補）オータムに出会うシーンで終わっている。サマーのあとのオータムとは不吉な予感しかしないふざけた命名だが、僕らにはせいぜい、トムがサマーとの経験で過学習を起こしておらず、映画では描かれなかったオータムとの恋路をハッピーエンドで終わらせたことを祈るしかない。（あ、結末を言わないと言ったのに書いてしまった！）

世界を二分する　──線形判別

　56ページの○と●を分ける図2-2を見ると、線形回帰は全体

を２つのグループに分ける役目を担っているんだなーとわかる。実はこのような線形回帰で全体を２群に分けるというやり方は、線形判別という別の名前が付いている。なんで同じことに別の名前が付いているのか、と思うかもしれないが、それは線形判別自体が２群に分けるということ以外にも使えるからだ。

たとえば、国語と数学の得点を合否判定に使うときの比率は、入学試験の得点順が入学後の成績順になるべく近くなるように、という基準で決めた。これは56ページの図2-2の中の○どうし、●どうしにも（図には描かれていないし、目的の合否判定にも直接関係ないが）順位がちゃんとついている、ということだ。

だったら、最初っから（合否判定に関係ない）○どうし、●どうしの順位は無視して、○（合格）と●（不合格）の判定「だけ」をする問題にすればいいんじゃないの？　という考えもある。ただ、入学後の成績順位と入学試験の順位が一致するように国語と数学の得点比率を決めて、その得点で上位100名を合格させる、というやり方では、最初っから合格と不合格に分ける、という問題に直接適用できない。不合格者の入学後の成績なんてないから。

そこでちょっと違う問題を考えよう。あなたは予備校の教師だ。最近開催された模擬試験の国語と数学の結果から、ある学校の合否判定を行いたい、としよう。ここまで読んできた人には簡単だと思うのだが、そのためには、入試の合否がすでにわ

かっている昨年の予備校生が受験したときの模試の結果を持ってきて、合格者と不合格者を二分する直線を引けばいい。そして、今年の受験生がその線のどっち側にいるかで合否判定を出してやればいいのだ。

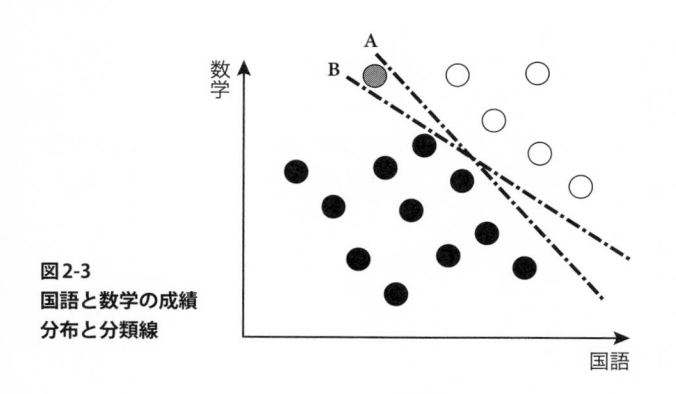

図2-3
国語と数学の成績
分布と分類線

　図2-3は昨年の模試の国語と数学の得点の分布だ。〇が合格、●が不合格とする。灰色の丸が合否を判定したい今年の受験生だとする。

　〇の合格者と●の不合格者はきれいに分かれているので、この２つのグループを二分するという条件だけでは境界線をユニークに決めることはできない。たとえば、図2-3には〇と●を二分する線が２本描かれているが、このような線はいくらでも描くことができる。ところが、ここで灰色の丸で描かれている、合否の予測を行いたい予備校生が〇側なのか●側なのかということを考えると、この２本の線で結論が真逆になってしまう。線Ａなら合否の予測を行いたい予備校生は●の仲間なので

不合格と予想されるが、線Bなら〇の仲間なので合格だ。これ
では予測の役に立たない。

どうするか？

　ここで線形判別では主成分分析で使った影絵法を採用する。
直感的に考えて合格者と不合格者がよりよくまとまっている一
方、合格者と不合格者の距離は離れて見えるような影絵ができ
る方向がいい。そのために線形判別では以下のようにする。

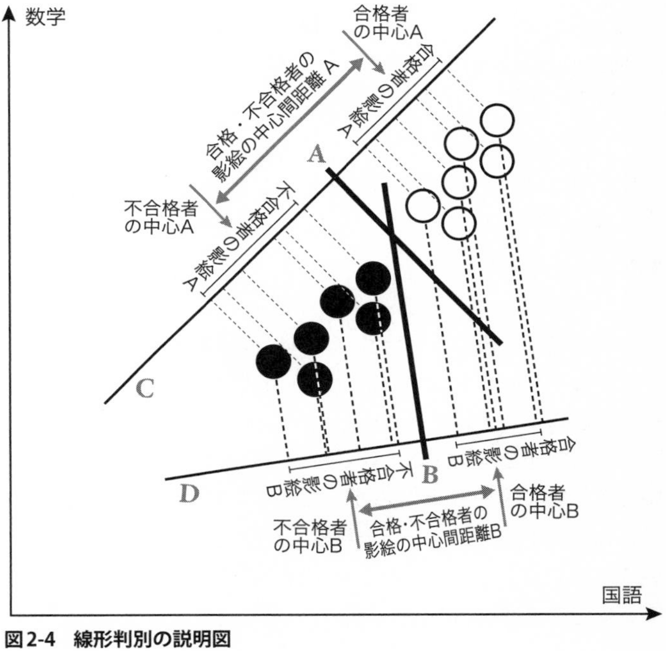

図2-4　線形判別の説明図

　合格者と不合格者を分ける適当な線を引く（たとえば、図2-4のAとB）。そして、その線と垂直な線（図2-4のCとD）を引き、その線にまず合格者と不合格者の影絵を描く。

　そしてその線分上で、合格者の集合の影の長さ、不合格者の集合の影の長さ、そして合格者と不合格者の中心（平均）間の距離を測る。合格者と不合格者の中心間の距離を合格者の集合の影の長さと不合格者の集合の影の長さの和で割り、この比が大きいほうがよい境界線であるとする。

　つまり、

$$\frac{合格・不合格者の影絵の中心間距離 A}{合格者の影絵 A の長さ＋不合格者の影絵 A の長さ}$$

$$\vee$$

$$\frac{合格・不合格者の影絵の中心間距離 B}{合格者の影絵 B の長さ＋不合格者の影絵 B の長さ}$$

となる。実際に、定規で測って計算してみると、境界線Aの比と境界線Bの比では前者が大きくなるため、「線Aのほうがよい境界線だ」とみなせる。この方法を使えば、○と●がきれいに分かれてしまっていて、無数の境界線を引ける場合でも、最良の境界線を決めることができる。たくさんある境界線の中から、比がもっとも大きくなる境界線を探していく。最良の境界線を決めれば、ここに後から合否の予測を行いたい予備校生の位置を灰色の丸で描き加えても、「合格か不合格かどち

ら側かわからない」みたいなことは起きなくなる。

　なんだかずいぶんややこしい、と思うかもしれないけど、実際に僕らは日々この作業をやっている。たとえば、目の前にいる人物が男か女かという判断をしたいとしよう。「そんなの見ればわかるだろう」と言うなかれ。「男の娘」（男性でありながら娘のような女性にしか見えない容姿と内面を持つ者）という言葉が流行っていることからもわかるように、男子校で「ミスコン（誤植ではない！）」が行われるご時世である。そんなに簡単ではない。

　たとえば、髪の長さ。髪が長いほうが女性の確率は高い。化粧をしているか。化粧をしているほうが女性の割合は高いだろう。髭が生えているか。髭が生えているほうが男の確率は高い。ほとんどの場合はわかりやすいだろうが、微妙な感じの外見の人も増えている。よく年配者が「最近の若い奴は男だか女だかわからない格好しやがって」とボヤいているのは、彼らが若いころに学習した線形判別が役に立たなくなってしまったからだ。

　こんな説明を読むと「サマーが自分の運命の人かどうかを判別するのにトムが使っていたのは、線形判別より、むしろ、線形回帰なんじゃないの」、と思う人もいるかもしれない。確かにそうかもしれないのだが、線形判別は線形回帰にはできないこともできる。それはグループが３つ以上になった場合でも判別ができるという機能だ。

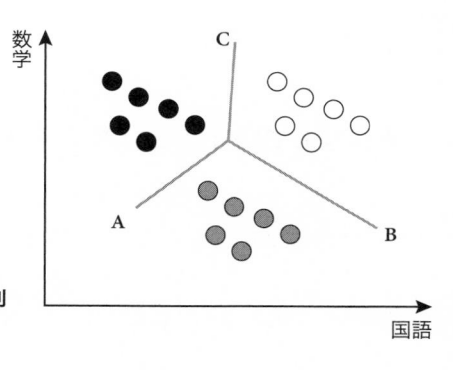

図2-5　3群の線形判別

　〇が合格者、●が不合格者、◉（灰色の丸）が補欠合格、とかの場合、分割線は3本いる。線分Bの上で線分Cの右なら合格者、線分AとB両方の下だったら、補欠合格、線分Cの左で線分Aの上なら不合格者、というふうに。カテゴリーが4つ以上になっても話は同じだ。2分割の組み合わせでうまく分けられるグルーピングなら線形判別でうまく区別できる。そうじゃない場合はk近傍法を使ったほうがいい。どっちがいいかはケースバイケースで交差検定で判別力を区別して、いいほうを使えばいいのも同じだ。

　ここまで簡単な例を用いて、機械学習の概要を説明してきた。なんか思っていたのと違う。たいしたことをやってない、と思う人も多いかもしれない。実際、機械学習はたいしたことはやってない。最近ここまでブームになったのは、深層学習という機械学習のあるアルゴリズムが従来の常識を大きく超える性能を示して、しかも、それが画像処理とか言語処理とか応用範囲が広い技術だったからにすぎない。それについてはおいお

い話していこうと思う。

未来は過去で決まっている —— 自己回帰モデル

この「足し上げる」の章、「なんだか機械学習というからすごいことやると思ったのに、ただの足し算でがっかり」という声もあるかもしれない。最後にちょっとだけ「現実的」な例を紹介して終わることにしよう。それは未来予測だ。

未来を予測したい、というのは人類の夢だろう。成功しているものとしては天気予報がある。台風の季節など、膨大な数値計算により、2日後くらいまでの台風の位置がかなり正確に予測できる。

実は線形回帰を使うと未来予測もできてしまう。線形回帰は予測に使うものと予測するものが異質だった。予測に使うのは国語と数学の入試の成績で、予測するものは入学後の成績。だが、ちょっと考えを変えるとこれをそのまま未来予測に使える。たとえば、毎日の気温。もし、過去1週間の気温がわかったら、明日の気温がわかる、となっていたらすばらしい。これを線形回帰でやるのは形式的には簡単だ。今日を含めた過去7日間の気温に、それぞれ適当な数をかけてから加える。そうやってできた数が翌日の気温になるように、今日を含めた過去7日間分の気温の値にかける数を決める。

図2-6は2020年3月の8日から31日までの気温（一日の平

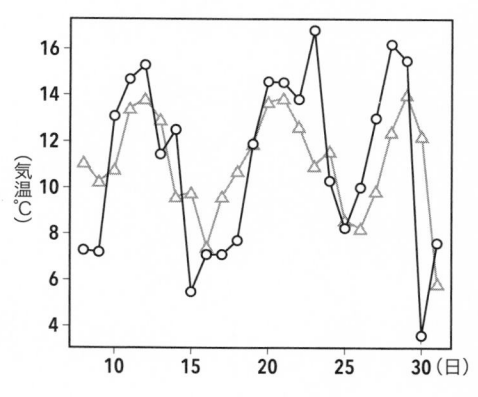

図2-6
24日間の気温（○）と
自己回帰モデルによる
予測（△）

均気温）を過去7日間の気温で線形回帰してみた結果だ。○が現実で、△が線形回帰の結果だが、まあ、そこそこよく合っていることがわかる。

このモデルのすばらしいところは、もし、これがうまくいったら未来永劫の予測ができるというところだ。何しろ、明日の気温が予測できたら、1日ずらして、6日前から明日までの7日間の気温から求めた7つの係数をかけて加えると明後日の気温が出る。明後日の気温が計算できたら、また1日ずらし、今日を含めた5日前までの気温と、明日と明後日の計7日分の気温に7つの係数をかけて足せば、明々後日の気温が出る。あとはこれを繰り返せばいい。だが、そんなに都合よくいくものなのか？

もうちょっとだけ、例を挙げよう。

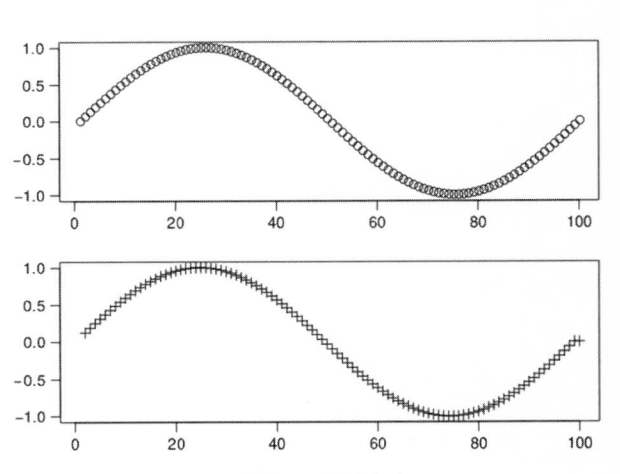

図2-7　y=sin x（上）と線形回帰による予測（下）

　図2-7（上）はいわゆるy=sin xで表現される正弦関数だ。1周期を100等分した各点での正弦関数の値がプロットされている。これを時系列と思ったとき、次の値を予測するのに、過去の何点くらいまで考えれば次の点の値を正

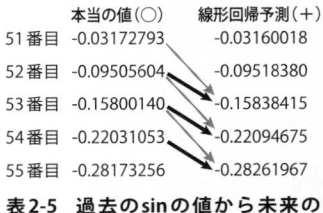

	本当の値（○）	線形回帰予測（＋）
51番目	-0.03172793	-0.03160018
52番目	-0.09505604	-0.09518380
53番目	-0.15800140	-0.15838415
54番目	-0.22031053	-0.22094675
55番目	-0.28173256	-0.28261967

表2-5　過去のsinの値から未来のsinの値を予測する場合の関係の説明

確に予測できるだろうか？　これはちょっと線形回帰には分の悪い問題に思える。何しろ、線形回帰は単調に増大したり減少したりするのを扱うのは得意だが、これは上がったり下がったりしている。さぞかし長い過去まで考えないとうまくいかないだろうという気がする。

　ところが、実際にはそうではない。次の値を予測するために、いまの値の2倍から1個前の値を引く。それだけで図2-7（下）の（＋）にあるようなきれいな正弦関数が得られる！

	本当の値 （○）	線形回帰予測 （＋）	線形回帰予測式 （今の値の2倍から1個前の値を引く）
51番目	-0.03172793	-0.03160018	50番目の本当の値×2−49番目の本当の値
52番目	-0.09505604	-0.09518380	51番目の本当の値×2−50番目の本当の値
53番目	-0.15800140	-0.15838415	52番目の本当の値×2−51番目の本当の値
54番目	-0.22031053	-0.22094675	53番目の本当の値×2−52番目の本当の値
55番目	-0.28173256	-0.28261967	54番目の本当の値×2−53番目の本当の値

表2-6　y=sin xとその線形回帰の詳細データ

　線形回帰の予測はきわめて正確だ。表2-6をご覧いただければわかるとおり、54番目までは予測値と本当の値は小数点3位までピタリと一致している。

　つまり上がったり下がったりするような複雑な関数形であっても、けっこう簡単な線形回帰で未来が予測できるということだ。しかも未来永劫に。

　この章、「足し上げる」は拍子抜けするほど単純なことをやっているかもしれない。だが、それでも思ったよりすごいことができる。だから機械学習はおもしろいし、すばらしい。

第3章

かけ合わせる
——倍々ゲームのごとく

　埋め込む、足し上げる、は人間にはわかりやすかった。だが、人間にわかりやすい、ということは必ずしも機械学習としての性能のよさを意味しない。実際、第1章と第2章で紹介された機械学習の方法は、メジャーな方法とはいえない。個人的なことをいうと、僕はほとんどの研究を「埋め込む」と「足し上げる」で紹介した方法（及びその発展形）を使ってやっているけれど、よく論文の査読者に「なんでもっとアドバンストな方法を使わないのか？」と文句を言われたものだ（さすがに最近は理解されてきて、そういうことはなくなったが）。

　というわけでここからようやく、普通に「機械学習」を冠する講義や教科書に登場する内容を扱っていくことになる。

ドレイクの方程式

　We are not aloneというのはスティーブン・スピルバーグの手になる有名な映画『未知との遭遇』のキャッチフレーズ。この映画は宇宙人と人間の出会いをリアルっぽく描いた映画で大ヒットした。宇宙人はいるのか、というのは我々の最大の関心事の一つだが、実際に宇宙人が発見されていない以上、どうしても無いものについての科学になってしまう感は否めない。現実には宇宙人どころか、地球外生命体さえ存在が確認されて

いない。地球外知的生命体の発する電波を検出しようという国際的なプロジェクトSETI（Search for Extra-Terrestrial Intelligence【地球外知的生命体探査】の略）が行っていた個人のコンピュータの空き時間を活用するプロジェクトSETI@homeは残念なことに、21年の活動の歴史をついに2020年3月に終了した。

　こんなふうに発見される望みのない宇宙人の存在だが、きわめて理論的な観点からその可能性を議論した有名な話がある。いわゆるドレイクの方程式だ。
　アメリカの天文学者フランク・ドレイクは1961年に宇宙人の存在確率について、以下のような議論を行った。

「我々の銀河系に存在し人類とコンタクトする可能性のある地球外文明の数（N）は、人類がいる銀河系の中で1年間に誕生する星（恒星）の数（R）×1つの恒星が惑星系を持つ確率（f_p）×1つの恒星系が持つ、生命の存在が可能となる状態の惑星の平均数（n_e）×生命の存在が可能となる状態の惑星において、生命が実際に発生する確率（f_l）×発生した生命が知的なレベルまで進化する確率（f_i）×知的なレベルになった生命体が星間通信を行う確率（f_c）×知的生命体による技術文明が通信をする状態にある期間（L）で計算される」

　式で書くと、

$$N = R f_p n_e f_l f_i f_c L$$

R：人類がいる銀河系の中で1年間に誕生する星（恒星）の数

f_p：1つの恒星が惑星系を持つ確率

n_e：1つの恒星系が持つ、生命の存在が可能となる状態の惑星の平均数

f_l：生命の存在が可能となる状態の惑星において、生命が実際に発生する確率

f_i：発生した生命が知的なレベルまで進化する確率

f_c：知的なレベルになった生命体が星間通信を行う確率

L：知的生命体による技術文明が通信をする状態にある期間（技術文明の存続期間）

みたいな感じだ。

　ずいぶんと長ったらしい式だし、個々の確率をどれくらいに見積もったのか、とかそういうことを議論する気はない。ここで強調したいのはこれは掛け算であって（みんなが好きな）足し算ではない、ということだ。

　一般的なことをいうと、人間は足し算に比べると掛け算を理解することが難しい。「なに言ってるんだ、掛け算なんて誰でもできるだろ」と言うなかれ。きっと読者の多くが聞いたことがある「米の倍増し」のエピソードを紹介しよう。

　時は戦国時代。武将豊臣秀吉には学問の指南役「御伽衆」と呼ばれる家臣団がいた。そのなかに、曽呂利新左衛門という、ひときわ優れた切れ者がいた。秀吉はある日、手柄を立てた新左衛門に褒美をとらせることにした。秀吉が「何でも好

きな褒美をやる」というと、新左衛門は「この広間の畳に、端の方から1畳目は米1粒、2畳目は2倍の2粒、3畳目はその倍の4粒、というように、2倍、2倍と米を置き、広間の100畳分全部いただきたい」と言った。これを聞いた秀吉は、せいぜい米俵1俵か2俵くらいかと思い、「なんだそんなものでよいのか」と安請け合いをする。ところが、これがとんでもない約束で新左衛門の申し出通りに米粒を与えると、4畳までで15粒、8畳で255粒、16畳でも米一升（4万6000粒）くらいであるが、32畳で1800俵、100畳ともなるととてつもない量になることがわかった。秀吉は慌てて、新左衛門に謝ってほうびを別のものに替えてもらったという。

　この本を読もうと思うくらいの読者なら、100日後に何粒の米粒をもらうことになるのか、簡単に計算できるだろう。2の100乗だ。覚えておくといいと思うのだが実は2の10乗はだいたい1000である（2の10乗は1024）。なので2の100乗は1の後に0が3×10＝30個続く数になる。

　1の後に0が12個続くと1兆、0が6つ続くのは100万なので要するに2の100乗は1兆の1兆倍の100万倍ということだ。これだけの米粒はどれくらいの量だろう？　米1粒の重さはだいたい、0.02gくらいである。1tは1000kg、1kgは1000gであることを使うと、100日後に新左衛門がもらえる米の重さは200億tの1兆倍、つまり、2の後に0が22個つくトン数ということになる。これはどれくらいの重さなのか？

たとえば、地球の重さと比べてみよう。地球の重さは6の後に0が21個つくトン数である。ということは100日後に新左衛門がもらえる米の重さは地球の重さの3倍以上（！）、ということになる。さて、いかがだっただろうか？　実際に計算してみる前に、どれくらいの重さか想像してみた読者の中で、だいたい当たったという人はどれくらいいるだろうか？

　これが人間には掛け算を理解するのは難しい、という意味だ。2を100回かけるという操作自体は、想像できる。でも、その結果（大きさ）は想像するのが難しい。2を100回かけるという「100」という数は日常的な数だが、1兆の1兆倍の100万倍という数はまずお目にかからない数なので想像が難しい。『涼宮ハルヒの憂鬱』というライトノベルの主人公、ハルヒは、宇宙人や超能力者や未来人に会いたいと切望しているという設定なのだが、そう思うようになったきっかけとして「子供のころ、野球を見に行ったときに生まれてはじめてたくさんの人を見て衝撃を受けたが、それがたった数万人で、それでさえ日本の人口の数千分の1にすぎないことに気づき、自分がありふれた存在であることに嫌気がさし、そんな平凡な自分から脱したいと思ったから」というような趣旨のことを述べている。それで宇宙人に会いたいと思ってしまうというのもどうかとは思うが、それでも、この（架空の）エピソードは我々が「実感」できる数はたかだか数万くらいだということを、よく表現しているとはいえるだろう。

　これから紹介するロジスティック回帰はかけ合わせることで

計算されるために、人間には扱いにくい確率ベースの機械学習を可能にする、きわめて優れた方法だ。だが、それを説明する前にまずは、「かけ合わせる」を「足し上げる」で表現する方法の説明が必要だ。足し算しか理解できない我々人間用に。

「かけ合わせる」を「足し上げる」で表現する

　掛け算を足し算で表すなんて無理なんでは、と思うかもしれないが、実はそうでもない。

　たとえば $2 \times 2 = 4$ を足し算で表現するには？　これを2の1乗×2の1乗＝2の2乗、と書き直すと○乗のところに注目すれば $1 + 1 = 2$ と足し算になっている。これが掛け算を足し算で表す方法だ。

　「なんだそんなことかバカにするな」と思うかもしれない。だが、実際に我々がしなくてはいけない掛け算は確率の掛け算である。整数ではなく1以下の実数だ。たとえば $0.1 \times 0.1 = 0.01$ みたいな計算はどうすればいい？　すぐにわかると思うが、10分の1の1乗×10分の1の1乗＝10分の1の2乗、としておいて○乗のところに注目すれば同じように $1 + 1 = 2$ になる。

　だが、これだと $2 \times 2 = 4$ も $0.1 \times 0.1 = 0.01$ も同じく $1 + 1 = 2$ になってしまって都合が悪い。ここは $1(2) + 1(2) = 2(2)$ とか $1(0.1) + 1(0.1) = 2(0.1)$ みたいに何の○乗だったのか括弧で書いておけばいいだろう（ちょっと煩雑だけど）。

これで大丈夫だろうか？　じゃあ、0.1×0.3＝0.03はどうだろう？　さあ、困った。今度は同じ数のべき乗で表現できないから○乗のところの足し算では書けない。だが、確率は0と1の間の実数なのだからこういうのが「足し算」で書けないとだめだ。どうするか？

　これに簡単な解決策はないが、いまはこうやっている。要するにすべての数をある1個の数のべき乗で表現してしまえば、掛け算は全部、○乗の足し算で表現できる。たとえばこの「ある数」を2としよう。で、2の○乗は3になるような数を定義できれば2×3＝6は2の1乗×2の○乗＝2の（1＋○）乗と表現できるので、掛け算が足し算で表現できる。だが、2の○乗が3、というときの○に入る数は何か？

　そんな数はない、と思うかもしれない。しかし、2の1乗は2で、2の2乗は4なので、2の○乗が3となる○に入る数は1以上2以下の数だろうということは想像に難くない。実はこういう数を「すべての数」に対して定義することは可能なのである。残念ながら「どうやって」ということは説明できない。だが、すべての数に「2の○乗でその数になる」という数が定義できたとしよう。たとえば、3に対するこの数は、3【2】と書くことにする。実際に計算すると3【2】はだいたい1.58くらい（これでちゃんと1以上2以下の数だ）なので2×3＝6は、2【2】＋3【2】＝1＋1.58＝2.58＝6【2】と書けて、2を2.58乗すると6になる、ということになる。2の2乗は4で、2の3乗は8なので、2を2.58乗する

と 6 というのはおかしくないだろう。

　この表記についてちょっとだけ説明を加えておく。

$$\left(\frac{1}{2}\right)^n$$

　まず上記のような 2 の逆数は、 2 分の 1 のべき乗で表現できる。0.5 は 2 の − 1 乗、なので 0.5【2】は − 1 などとする。

　また 0【2】は − ∞（無限大）とする。なぜなら、この表現で 0 を作るには 2 の逆数（つまり − 1 乗）を無限回かけ合わせるしかないからだ。

　これを使ってロジスティック回帰を説明したい。

　最後に 1【2】は 0 とする。 2 の負の数のべき乗は 1 の逆数のべき乗だから 1 より小さく、 2 の正の数のべき乗は 1 より大きいから、 1【2】としておけば都合がいい。

ロジスティック回帰

　ロジスティック回帰は前節で説明した「掛け算を足し算で表す」という方法を使って、確率を線形回帰で表現する手法である。模試の国語と数学の成績で志望校の合否を予測するという線形判別のときに考えた問題をまた考えよう。

線形判別では、模試の成績で志望校の合否を決めた。だが、予備校にとっては合否を決めるだけでは不十分だ。模試で同じ成績をとっても、合格する学生も不合格の学生もいる。予備校はよく、合格と不合格が半々になるような基準（たとえば偏差値）を志望校の難易度として扱う。このようなことをするためには、模試で国語と数学である成績をとった学生の合格確率が計算できないといけない。ただし、手元にあるのは昨年の予備校生の模試の成績と、最終的な合否の結果だけとする。その場合、模試でまったく同じ点の受験生が多数いて、その中で合格者と不合格者の割合が計算できる、というわけにはいかないだろう。なんらかの工夫が必要だ。

　この「合否しかわからなくても（強引に）合格率を計算する」という（一見、無理そうな）離れ業をやってのけるのがロジスティック回帰だ。

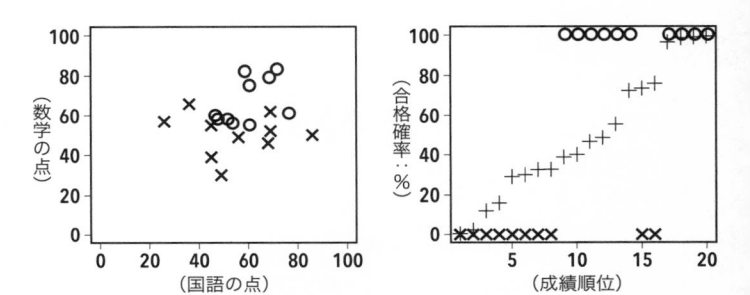

図3-1　（左）模試の国語の点（横軸）と数学の点（縦軸）と志望校の合格（○）と不合格（×）の関係
**　　　（右）模試の結果から導かれる合格確率（縦軸）、模試の成績順位（横軸、1が最低位、20が最高位）**

　図3-1（左）のような国語の点（横軸）と数学の点（縦軸）をとった20人の予備校生が最終的に10人の合格者（○）と10人の不合格者（×）に分かれたとする。ロジスティック回帰を使うとこのデータ「だけ」から、20人の予備校生の合格確率を計算できる（図3-1〔右〕の＋）。

　図3-1（右）の×は20人の予備校生のうち、志望校に不合格だったものを示し、○は合格だったものを示す。ここでは、不合格だった10人の受験生で０％の合格率、合格だった10人の受験生で合格率は100％と推定するのが目的である。しかし、現実には２名ほど、模試の成績が優秀だったのに不合格だった予備校生（図3-1〔右〕で15番と16番の学生）がいるために、ロジスティック回帰で「志望校に合格した受験生は全員100％の合格率、不合格の受験生は０％」という予測をすることはできない。結局、右図の＋で表現されるような中間の値を予測するようにしたほうがトータルの誤差は少なくなるので、このような連続的な値が予測されることになる。以下、どうやってこんな計算をするのかを説明していこう。

　ドレイクの方程式に見たごとく、確率とは足し上げるのではなく、（人間には直感的に想像しにくい）かけ合わせることで定義するものだから、人間には想像が難しく、国語と数学の模試の成績と、志望校の合否から合格率を推定せよ、といわれても何をしたらいいか途方にくれてしまう。ロジスティック回帰ならこのギャップを埋めてくれる。

　この目的のために、ロジスティック回帰は、学生が合格だっ

たか不合格だったかという記録から（「合格確率」／「不合格確率」）【2】を予測することを目指す。「合格確率」／「不合格確率」は、「合格確率」と「不合格確率」の比（「合格確率」を「不合格確率」で割ったもの）で、専門用語ではオッズと呼ばれている。オッズが1のところが、予備校が知りたい合格者と不合格者が半々になる模試の成績、ということになる。前述したように1【2】は0なので、オッズ【2】を国語と数学の成績の比重和で線形回帰して、0になるところを決めれば、そこが予備校が知りたい合格者と不合格者が半々になる模試の成績、となる。

100％から個々の学生の合格確率を引いたものはその予備校生の不合格確率だから（たとえば、合格確率30％の予備校生の不合格確率は100％－30％＝70％である）、オッズがわかれば合格確率は簡単に計算できる。たとえばオッズが3だったら、合格率は75％、不合格率は25％である。足したら100だが比は3になる数の組み合わせはほかに存在しないからだ。だから、オッズが国語と数学の成績の比重和で線形回帰できれば、その値から合格確率を計算できる。

なぜ、オッズそのものではなくオッズ【2】を線形回帰するのか？　という疑問がわくかもしれない。必要なのはオッズなので、オッズを直接、国語と数学の成績の比重和で線形回帰したほうが早いのでは？　それは以下のような理由による。「合格確率」と「不合格確率」は0以上1以下の数だから、それらの比であるオッズは0以上で無限大までの値をとる数だ。

ところが、我々が知りたいのはオッズが１のところである。０から無限大まで値が変わる量であるオッズを線形回帰してオッズが１のところを決めるのではいかにもバランスが悪い。

　ところが、オッズ【２】は、マイナス無限大からプラス無限大のすべての値をとりうる数だ。オッズは前述のように０以上で無限大までの値をとる数だが、０【２】はマイナス無限大で、無限大【２】は無限大（２を無限回かけると無限大になるから）なので当然、オッズ【２】もマイナス無限大からプラス無限大までのすべての値をとる。

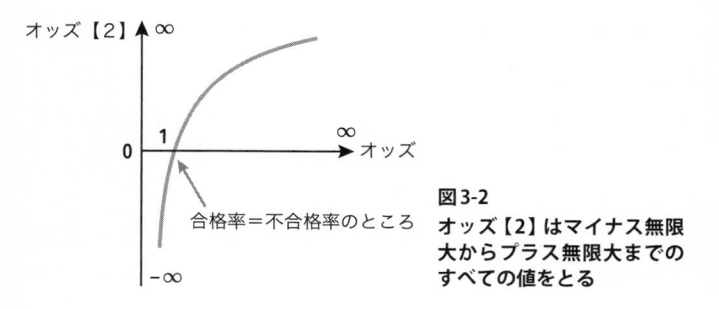

図3-2
オッズ【２】はマイナス無限大からプラス無限大までのすべての値をとる

　線形回帰で作られる数、つまり、国語と数学の点数をある比率で加え合わせて作られる数はもともと、マイナス無限大から無限大までのすべての数だから、ロジスティック回帰ではオッズそのものではなく、確率の比であるオッズから求めたオッズ【２】を線形回帰することにしたわけだ。「かけ合わせる」を「足し上げる」で書くという非常にややこしいことを考えたのはこれがしたかったからだ。そうじゃないと、定義上０以上１以

下の数である確率を、線形回帰の対象として最適なマイナス無限大からプラス無限大まで変化する量に変えることはできない。

　まとめるとロジスティック回帰は、

「『合格確率』を『不合格確率』で割った数（オッズ）が２の何乗か（オッズ【２】）、という数を国語と数学の点数を最適な比率で足し合わせた数で表現する」

　という線形回帰だ、ということだ。そしてこれは、

「合格確率」を「不合格確率」で割った数（オッズ）を、国語の点数の２のべき乗（この部分が国語の点数がある値のときのオッズを表す）と数学の点数の２のべき乗（この部分が数学の点数がある値のときのオッズを表す）で表した

$$\frac{\text{合格確率}}{\text{不合格確率}} = 2^{\text{最適の数×国語の点}} \times 2^{\text{最適の数×数学の点}}$$

　ということになる。とてもややこしいがこれが実際にロジスティック回帰でやっていることだ。

　実際に計算するときは「合格確率」や「不合格確率」は未知の量である。だから、合格者の合格確率は100％で不合格確率は０％、不合格者の合格確率は０％で不合格確率は100％、とみなして、それをもっともよく実現するような「国語と数

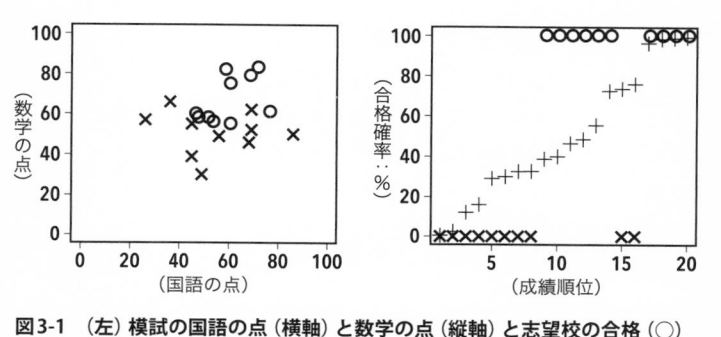

図3-1　**（左）** 模試の国語の点（横軸）と数学の点（縦軸）と志望校の合格（○）と不合格（×）の関係
　　　　（右） 模試の結果から導かれる合格確率（縦軸）、模試の成績順位（横軸、1が最低位、20が最高位）（再掲）

学の入試の成績の比率」を探っていく。線形回帰の性質上、国語と数学の模試の成績の組み合わせがさまざまに異なっている合格者（図3-1〔左〕の○）に付与される同じ国語と数学の成績の比重和の値は異なってしまうし、同じく不合格者（図3-1〔左〕の×）に付与される国語と数学の成績の比重和の値も異なってしまう。

　したがって、国語と数学の成績の比重和の値をオッズ【2】だとみなして計算したオッズから計算される合格確率も当然、「（不）合格者」の「（不）合格確率」が全員100％であるようにすることはできず、自然に100％と0％の間の合格率になってしまう（図3-1〔右〕の＋）。このようにして計算した確率をロジスティック回帰で推定された合格確率と思うことで、合否のデータと模試の成績「だけ」から「合格確率」を計算するというアクロバティックなプロセスが可能になる。

人間にとってデータから確率を想像することは難しい。それを人間にもわかりやすい「足し上げる」プロセスで計算する。そんな一見不可能なことを可能にしてくれるからこそ機械学習は大いに注目されているのである。

隠れた変数としての合格確率

　ロジスティック回帰による合格確率の推定は、いままでとちょっと違うなー、と思った人はいないだろうか。そう思ったあなた、鋭いです。いままでの機械学習は「観測すればわかるけど、まだ観測できていないもの」の予測だった。それは「誰が落第する学生なのか？」とか「サマーは自分の運命の人なのか？」とか「この予備校生は志望校に受かるのか？」とか「次の正弦関数の値は？」とかで、時間が経てば正否がわかるものばかりだ。だが、入試が終わっても、予備校生一人ひとりの合格確率なんて結局わからないで終わる。じゃあ、ロジスティック回帰が推定した合格確率とはどんなものなのか？

　機械学習の特質の一つとして「本当は存在するんだけど観測できない何かを推定する能力」というものがある。そんなものを推定して何の役に立つんだ、と思うかもしれないが、「合格確率」というものが存在し、その値が大きいほうが合格しやすい、と仮定することで合格確率を計算することは、普通ならできないことを可能にする（たとえば、合格者と不合格者の比率が半々になる模試の成績を計算して、それを志望校の難易度とする、とか）。

このような何かは隠れた変数とか潜在変数と呼ばれている。以下に見るように、機械学習では、特に隠れた変数として確率を推定することが多く、確率そのものじゃなく「確率【2】」（確率を2の○乗で表現したときの○の値）を推定することが多い（確率は0以上1以下の値だが、確率【2】はマイナス無限大以上0以下のすべての値をとるので変化の余地が大きく、より扱いやすい）。

機械学習は「関係の予測」だといったが、その裏にある、関係を説明するもの（この場合は、模試の成績と合否という2つのものを関係づける合格率というもの）を推定することもできる。よく機械学習は「予測はしてくれるが説明は与えない」などという説明がまことしやかにされているが、それは必ずしも正しくない。ケースバイケースである。ロジスティック回帰は見ようによっては、合否という結果に「合格確率」という「説明」を与えていると見ることもできる。そういう見方もたいせつである。

未来は過去で決まっているⅡ　──マルコフ過程

タイムトラベルものは小説や映画で人気のネタだ。いいかげん、もうネタはないだろうと思っても、「まだ、こんな手があったのか！」と驚かされるアイディアが必ず出てくる。タイムトラベルものは特に恋愛ネタと相性がいい。タイムトラベルが可能になったら誰しも考えることは、「過去に戻ってやり直したい」だろう。そこで「やり直す」のが自分の運命ではなく、

愛する人の運命だとなれば、それだけで話が盛り上がるのは間違いない。時に、主人公は自分の命を犠牲にしてまで過去に遡って愛する人の命を救ったりする。

『ここがウィネトカなら、きみはジュディ』という、たぶん、この本の読者といえども誰も読んだことがないだろう超マイナーなＳＦは、発表当時、そのような驚きをもって迎えられた作品だ。設定はこうだ。主人公ガースは「人生を時間順序を無茶苦茶に生きる」という病気を患っている。精神は５歳なのに、30歳の肉体に飛ばされたり、逆に50歳なのに、新生児の肉体に押し込まれたりする。誰にも理解してもらえず、いつ、ほかの時間に飛ばされるかわからない中で心から打ち解け合う相手も見つからず、精神的には孤独な人生を送っていた。だが、ある日、ガースは、付き合っていた女性の一人エレーンが自分と同じ病気を患っていたことに気づく。感涙にむせぶガースだったが、一つ大きな問題があった。ガースはすでに、エレーンががんで早世する瞬間を体験してしまっていたのだ。さて、ガースは最愛の女性であるエレーンの運命を捻じ曲げて生涯の伴侶に変えることができるだろうか？　という話である。なかなか感動的な結末が待っている気がしないか？

　しかし、この本のテーマは時間とは何か、とかいうことではないので、そっちには立ち入らない。この問題のおもしろいところは、「ガースがエレーンの運命を変えてしまったら、その『後』の歴史はどうなってしまうのか？　ガースだってその一部をすでに経験しているのに？」というところだろう。『ここ

がウィネトカなら、きみはジュディ』の中でそれがどう解釈されているかは読んでのお楽しみということにしたい。だが、この「途中で介入して変えうる未来」というイメージを説明するのに最適（？）な機械学習のモデルがある。それはマルコフ過程だ。

マルコフ過程は単純だ。

「１個先の未来は、いまの状態だけで確率的に決まっていて、過去には依存しない」

たとえば、放り投げたボール、というのは立派なマルコフ過程だ。なぜなら、未来のボールの軌跡は、その瞬間の位置と速度で完全に決まっている。ただ、この場合のように本当に決まってしまっていては確率が出る幕がないが、「未来が完全に決まっている」というのは「その状態の出現確率が100％でほかは０％」みたいな確率であると思うことができるから、けっして確率で決まっていないとはいえない。

『ここがウィネトカなら、きみはジュディ』の設定をマルコフ過程で記述するとこんな感じだ。ガースの運命はある瞬間に彼が何をするかで確率的に決まっている。ガースが時空を飛び越えて未来にジャンプしたときに体験するのは、飛ばした時間でガースが行った（はずの）行動で決まる確率の連鎖の中で、比較的確率が高いものが選ばれたにすぎない。実現しなかった未来の中には、最愛のエレーンがんに罹らず、一生ガースと

添い遂げる未来だってあるはずだ。そのような未来の確率を上げるには、どこでどのような介入を行うのが最適か？

　そもそも、未来が過去によって完全に決まっていたらガースは未来を変えることはできない。だが、確率的に決まっているなら、どこかの時点で介入することで別の未来を選ぶことは可能なはずだ。そういう意味では『ここがウィネトカなら、きみはジュディ』の世界設定はまさにマルコフ過程だということもできる。

　ここでいきなりガースがとるべき戦略をマルコフ過程で、とかできたら格好いいが、それもなかなか難しいのでもっと簡単なおもちゃモデルを考えよう。十円玉と百円玉がある。ただし、これらの硬貨は表と裏が出る可能性がいっしょではない。

●硬貨を投げる（十円玉でも百円玉でもよい）
●出た面を記録（どっちの硬貨を投げたかは記録しない）
●表が出たら同じ硬貨を投げる。
　裏だったら違う硬貨を投げる。
●出た面を記録（どっちの硬貨を投げたかは記録しない）
●表が出たら同じ硬貨を投げる。
　裏だったら違う硬貨を投げる。
●（以下繰り返し）

ちょっとわかりにくいので例を示そう。

試行回数	1回目	2回目	3回目	4回目	5回目	6回目	7回目
硬貨 （記録しない）	十円玉	百円玉	百円玉	十円玉	百円玉	百円玉	十円玉
表裏 （記録する）	裏	表	裏	裏	表	裏	表

表3-1　コイントスゲームの試行例

　まず1回目は十円玉を投げる。裏が出たので裏が出たことを記録する。裏が出たので今度（2回目）は百円玉を投げる。表が出たので表が出たことを記録。表が出たので次（3回目）も百円玉を投げる。裏が出たので裏が出たことを記録。裏が出たので4回目は十円玉を投げる。裏が出たので裏が出たことを記録。裏が出たので5回目は百円玉を投げる。表が出たので表が出たことを記録。表が出たので次（6回目）も百円玉を投げる。裏が出たので裏が出たことを記録。裏が出たので7回目は十円玉を投げる（以下、ずっと続く）。この裏表の記録「だけ」で百円玉と十円玉のそれぞれで表が出る確率について何が言えるか、という問題だということだ。

　出た面の記録から十円玉と百円玉おのおのの裏表の確率を求めよ、というのが課題だ。どっちの硬貨を投げたのかを記録しないのだから、これは無理ゲーに見える。だが、そうでもない。

　たとえば、ずーっと裏しか出なかったとしよう。これだけでは何もわからないような気がする。ここで「硬貨は両方とも裏しか出ない」と仮定してみよう。よく考えるとこれでいいことがわかる。どっちかの硬貨を投げて記録する。裏しか出ないから、裏を記録。もう一回投げるが、裏が出たから硬貨を替

える。しかし、替えた硬貨も裏しか出ない。また裏が記録され、2回目も裏なのでまた硬貨を替えて……、と続いていく。

　じゃあ、ずっと表だったら？　今度も硬貨は両方とも表しか出ない、でOKだとわかる。

　それでは、表と裏が半々だったら？　もちろん、硬貨が両方とも表裏半々ならOKなのは確かだ。ほかに、可能性がないかが問題だ。たとえば百円玉の表が出る可能性が70％、十円玉の表が出る可能性が30％だったら表と裏が出る最終的な比率はどうなるのだろう？

　まず、そもそも、十円玉と百円玉を投げる比率はどれくらいだろう？　十円玉のほうが裏が出やすい（70％）のだから、百円玉に移ってしまう確率は高いので、十円玉を投げる確率のほうが少ないのは間違いなさそうだ。だが、どれくらい？　答えは7：3である。なぜか？

　この試行を100回繰り返した場合を考える。百円玉と十円玉を7：3の比で投げると仮定すると、100回のうち70回は百円玉を投げることになる。百円玉は30％裏が出るのだから21回は十円玉を投げることになる。一方、100回のうち30回は十円玉を投げることになる。十円玉は70％裏が出るのだから21回は百円玉を投げることになる。つまり、70回のうち、次も百円玉を投げるのは、70回−21回＝49回だけだが、一方、裏を投げた30回のうち21回は表が出て百円玉を投げることに

なる。結局、差し引き、百円玉を投げる回数は変わらないので百円玉を70回、十円玉を30回投げる、のは変わらない。

　それでは、百円玉を70回、十円玉を30回投げたら、記録される表の回数は何回か？　百円玉で表が出る確率は70％だから70×0.7で49回、十円玉で表が出る確率は30％だから30×0.3で9回、トータルで100回中58回は表が出ることになる。結局、表と裏が半々にはならない。

　それでは硬貨が両方とも表裏半々に出る場合以外に、最終的に表と裏が半々になることはないか、というとそんなことはない。たとえば、80回中50回表が出る百円玉と、80回中20回表が出る十円玉、という組み合わせを考えよう（変な数だが計算を簡単にするためです）。この場合、240回投げたうち、160回は百円玉を投げ、80回は十円玉を投げる、という状態であれば、次の240回も同じ比率で百円玉と十円玉を投げることになる。なぜなら、160回百円玉を投げると100回は表が出て、そのまま次も百円玉を投げることになるが、60回は裏が出るので、次は十円玉を投げることになる。ところが、80回十円玉を投げたうち、20回しか表は出ないので60回は次に百円玉を投げることになる。つまり、「百円玉で裏が出て次は十円玉を投げることになる60回」と「十円玉で裏が出て次は百円玉を投げることになる60回」が同じなので、結局、次の240回のうち100回＋60回の160回百円玉を投げる、ということ自体は変わらないからだ。残りの80回は十円玉を投げることになるので、最初の240回と次の240回は、いずれも80回十円玉を

投げる、ということは変わらない。

　じゃあ、このとき、表と裏は何回ずつ出るか？　表が出るの
は160回百円玉を投げたうちの100回と、80回十円玉を投げた
うちの20回の和で120回である。つまり、240回のうち120回
は表が出る。裏は残りの120回なので、結局、裏と表の出る割
合は5：5で同じになる。こんな風に、表と裏が半々に出てい
ても、十円玉と百円玉が両方とも裏表同じ割合で出るとは限ら
ないし、どっちを投げたかを記録しなくても、十円玉と百円玉
の表と裏が出る確率に一定のルールがあることまでわかる。

　こんなふうに「結果」しかわからなくてもいろいろわかる
ことはある。ここでやっていることは「平均的なことが実際
に起きた」という仮定である。現実には、確率で決まるのだ
から、表と裏が半々に出たとしても「2乗して足したら50に
なる比率」を満たしているとは限らない。ほかの比率でも「た
またま」出てしまうことは否定できないからだ。

　機械学習ではこのように「もっとも起きやすいことが実際
に起きた」とみなして計算をすることが多い。ほかに方法が
ない、ということもあるが、試行回数が増えてくれば、ずれが
起きる可能性は減ってくる。10回の試行で、百円玉と十円玉
を投げた回数が理想の7回と3回ではなく、8回と2回になっ
てしまう可能性は否定できないが、1000回試行して百円玉が
800回、十円玉が200回になってしまう可能性は圧倒的に少な
いのは直感的にわかるだろう。

　もっとも起こりやすいことが起きたと仮定する＝もっとも確率が高い試行が実現した、と仮定して計算するのは機械学習の重要な戦略なので覚えておいてほしい。

　さて、ガースはどうすればいいだろう？　ガースは未来のいくつかの時点をすでに経験している。だから、マルコフ過程的に考えれば「すでに起きてしまっていること（＝ガースがすでに体験してしまっている人生の部分、たとえば、『ここがウィネトカなら、きみはジュディ』であるという事実）が起きるという確率は最大に保ちながら、起きてほしいこと（＝エレーンががんで死亡しない）が起きる確率を最大化するには途中の出来事（＝ガースがまだ体験していない人生の部分）をどう変更すればいいか？」という条件で推定することができる。これはある意味、もっとも起きやすいと思えることが実際に起きた、というマルコフ過程を用いた推定にほかならない。そして、すでに起きたこと（エレーンががんで死亡する）が起き「ない」ようにするにはどうすればいいかを考え、自分、もしくは、エレーンがその時点をたまたま経験したときに行動を変えれば起きたことを起きないようにすることができる。

　それはちょうど、表と裏が50％ずつ出るという結果を変えずに、十円玉と百円玉の表と裏が出る確率をある程度自由に変えることができたのとよく似ている。

「そんな計算できるわけない」と思うかもしれない。だが、実際、ガースはエレーンから「体調に不安があったのに健康

診断に行かなかった」ことを聞き出し、これこそが「エレーンががんで死ぬ」というイベントに至るキーイベントだと気づいて、必ず健康診断に行くように勧める。その結果がどうなったかは本を読んでのお楽しみだが、自分の人生全体を、間欠的にでも未来を含めて俯瞰できたガースは、自分の人生を自分の望みどおりに変えることができる立場にあり、そして、それを最大限活用して幸せになろうとしたことは間違いない。

　残念ながら、我々はガースじゃないから、未来を見通して自分の行動を変えることはできない。だが、それでも過去を考察し、未来を変えるように行動することができる。人生はいまが決まったら未来も決まっている、投げられたボールよりは、硬貨を投げたときの裏表のように、確率的なマルコフ過程にはるかに近いのだから。

第4章

枝分かれする
——右か左かそれが問題だ

「ここが運命の分かれ道」というのはよく聞く話だ。実際、ここまでにご登場願った映画や小説の登場人物、トムやガースも、「サマーは自分の運命の人なのか?」とか「エレーンを救うにはどうすればいいか?」などの局面に、そうと意識はしなくても機械学習の手法と同じような考え方で行動を決めていた。だが、機械学習の方法の中には、地で「運命の分かれ道」を実装している方法がある。

運命の分かれ道 ——決定木

　ここまで機械学習の本質は「関係性の予測である」と述べてきた。「埋め込む」はそれを仮想空間の中の位置関係で、「足し上げる」は「埋め込む」で作られた空間の中である方向を指し示すことで、「かけ合わせる」はそれを確率の積で表現してきた。こんなふうに、関係性の表現方法にはいろいろなやり方がある。ある意味、この章で説明する方法はいちばんわかりやすい方法だ、ともいえる。それは必要な情報量が「少ない」からだ。

　サマーが運命の人かどうかをトムが見極めるとき、また、ガースがどうやったらエレーンが死を免れて自分の運命の人として生きられるかを考えるとき、無意識のうちに「なるべく少

ない情報量で」それを成し遂げようとしたはずだ。仮に機械学習の神がトムの前に降臨し、「１万種類の情報で、サマーが運命の人かどうか99％の精度で確認できる機械学習の手法Ａと、３種類の情報しか必要としないが80％の精度でしか確認できない機械学習の手法Ｂがある。どっちが欲しいか？」と尋ねたら、たぶん、トムは躊躇なく「Ａにします！」とは言えないはずだ。１万種類の情報を集められなければＡを使わせてもらっても予測はできないし、だったら、３種類でできるＢのほうがいいのではないか、と迷うだろう。同じことがガースにもきっと起きる。「足し上げる」や「かけ合わせる」では、精度を上げようとすればどうやってもたくさんの情報を集めないといけなくなる。これを免れる方法はないか？

　ここでまた、「ある数の大きさを別のある数を何乗したかで表現する」やり方、つまり、【　】を使った表記を思い出そう。「かけ合わせる」では、０以上の数であるオッズ比を、０【２】はマイナス無限大、無限大【２】は無限大であることを使って、マイナス無限大から無限大までの数に変換することで線形回帰をやりやすくした。だが、この【　】を使った表記には別の効能もある。それは「非常に大きな数を小さい数で表現できる」という利点だ。

　たとえば、曽呂利新左衛門が100日後に秀吉からもらうはずだった米の重量は、200億ｔの１兆倍というとんでもない数で、２の後に０が22個つくような書くだけでも嫌になるほどの大きな数だ。だがこれを【２】を使って書くと簡単になる。200

億tの1兆倍【2】はどれくらいか？ 1000【2】はだいたい10であるので、計算すると、200億tの1兆倍【2】は、だいたい74.32だとわかる。2の後に0を22個書かないといけない数が74.32と書けるとは、なんと便利なことか！

「そんな書き方じゃよくわからないよ」と言うなかれ。ある数の○乗という表現をしたときに○に入る数は整数じゃなくてもよいことにしたことを思い出そう。だから「ある数【2】は10.5です」とか言われても慌てず騒がず、「ああこれは2の10乗と2の11乗の間の数なんだな」と思えばいい。「2の10乗なんてどれくらいの大きさかわかんないよ」と言うなかれ。たとえば、Google検索で2＊＊10と入れるとちゃんと1024という数が返ってくる（Google偉い！）。だから、ある数【2】＝74.32とかいわれても目を白黒させなくていい。

で、これを使うとなぜ、「関係性の予測」が簡単になるのか？「埋め込む」や「足し上げる」では結局、関係性は位置関係として表現されていた。だが、位置関係は必ず数字で表現できる。前に挙げた「地球上の任意の位置を緯度と経度で表す」（23ページ）もそのような例だ。だから大きな数字で表現した位置を、【2】で小さい数にして表現することで、指定しなくてはいけない情報の種類数を減らそう、という考えは当然ある。

つまり、たとえば、1kmの長さの区間を長さ1mの区間に1000等分に分けて番号付けしたいとする。すると、1000個の

区画を番号付けするには、0 〜 9 までの数字を100の位、10の位、1 の位にそれぞれ指定しないといけないので、10×3＝30個の数字という記号が必要だ（この場合、100の位の3と1 の位の3は区別しないといけないので情報としては別の記号を表していることに注意）。しかし、1000【2】はほぼ10なので、0 と1 を10個並べた数字、0000000000から1111111111まであれば、1000個の区間を区別できる。この場合、必要な数字の種類数（記号数）は2×10で20個だけである。同じ区間を表現するのに少ない個数の記号しか要らない、ということは選択の余地が少ないのだから、より妥当な冗長性の少ない選択ができる可能性があるということだ。

　決定木というアルゴリズムはそんな発想で作られた。

仮想的なサマー　──　気まぐれな場合

　サマーがトムに毎日何時間電話してくれるかという問題と、サマーがトムの運命の人か、という問題をまた考えよう。常識的に「その時間が長いほどサマーはトムの運命の人だ」というのであれば話は簡単だ。だが、前述（54ページ）にも述べたように、1 時間を超えたらむしろサマーの運命の人としての有望度は下がっていく、となるとめんどうだ。ここではもっと話を複雑にしてこんな例を考えよう。

　サマーがトムに毎日電話してくれる時間が1 時間未満、あるいは、2 時間以上3 時間未満のとき、サマーはトムの運命の人。

サマーがトムに毎日電話してくれる時間が1時間以上2時間未満、あるいは3時間以上のとき、サマーはトムの運命の人ではない。

　こんなややこしい関係性＝サマーの電話時間とサマーの運命の人としての有望度の関係、なんてどうやったら表現できるのか？　実はこれはたった2つの質問に答えるだけで表現できるようにすることができる。

　サマーの電話時間は、

　2時間未満ですか？→はい→1時間未満ですか？→はい→サマーは運命の人

　2時間未満ですか？→はい→1時間未満ですか？→いいえ→サマーは運命の人ではない

　2時間未満ですか？→いいえ→3時間未満ですか？→はい→サマーは運命の人

　2時間未満ですか？→いいえ→3時間未満ですか？→いいえ→サマーは運命の人ではない

　どの場合も答えないといけない質問は2つだけだ。ややこしいが図で描くとこんな感じだ。

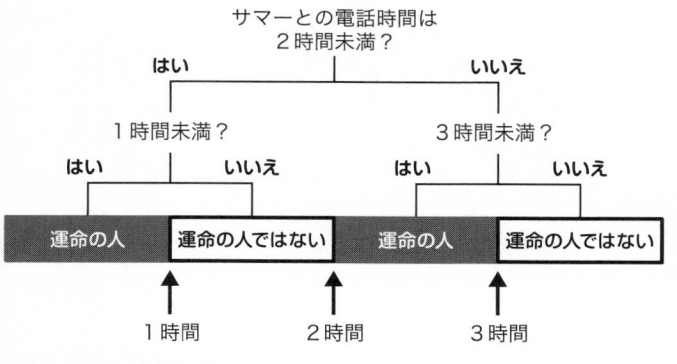

図4-1　サマーの電話時間

　ここには４通りの「場所」があるがそれを「２つ」の質問
で分類できる。なぜなら４【２】＝２だからだ。同じように
考えれば仮にサマーの「場合分け」がもっと複雑で、たとえ
ば、1000通りのパターン（「５分未満なら有望だが、５分以上
７分未満なら有望じゃない、しかし、７分以上で11分未満な
ら有望、11分以上なら……（以下、３時間を超えるまで分刻
みの区間が延々と続く）」）みたいな場合でも、1000【２】は
だいたい10なので、原理的には２択「はい・いいえ」の質問
10個「だけ」で1000パターンを分類することができる。この
質問に答えるのだって大変だが、それでも、これくらいだった
ら、トムも機械学習の神が降臨して選択肢を提示したときに躊
躇なく選べるというものだ。

　さらにこの方法だと条件が２つになって複雑に入り組んでい
る場合も対応が可能である。

電話時間に加えて、サマーがトムと月当たり寝てくれる回数も重要だとしよう。で、月10回以上、20回未満なら有望、それ以外なら有望ではないとし、サマーが本当にトムの運命の人なのは、「寝てくれる回数」と「電話時間」の両方の判定がともに「有望」な場合だけであるとする。図に描くとこんな感じだ。

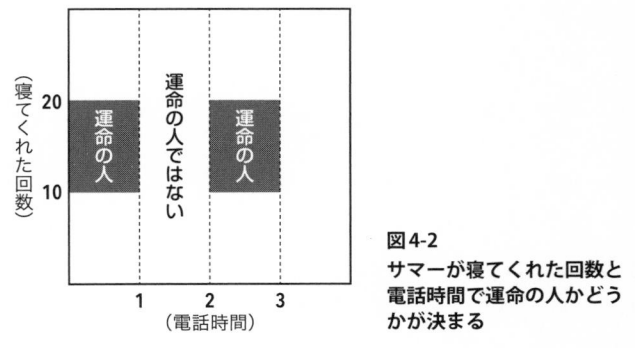

**図4-2
サマーが寝てくれた回数と
電話時間で運命の人かどう
かが決まる**

　さて、これを決定木で表すとどうなるか？　ここでは、電話の時間を表現する実線の決定木と寝た回数を表現する破線の決定木の2段重ねで表現してみた。2時間未満？→はい→1時間未満？→はい→20回未満？→はい→10回以上？→はい→運命の人！　のようにたどることで、サマーは運命の人、という選択肢に無事たどり着ける。別に、まず、電話の時間を聞いて、次に、寝た回数を聞く、という順番である必要はなく、電話→寝た回数→電話→寝た回数、みたいに電話と寝た回数を交互に尋ねてもちゃんと正しい決定木は作れる。

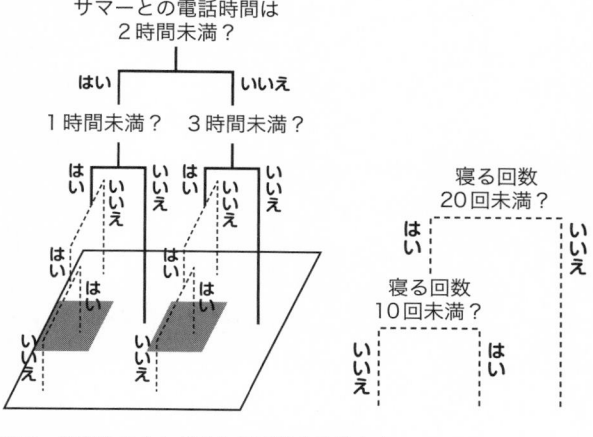

図4-3 サマーが運命の人かどうかを予測する決定木

電話時間、寝た回数、に加えて、ハグの回数、キスの回数、など質問はいくらでも増やせるし、ちゃんと決定木は作れることは想像に難くないだろう。

なんだか、万能のように感じられる決定木だが、欠点もある。たとえば、「足し上げる」で扱ったような「国語と数学の点をある比率で足し上げた得点で合否を決める」みたいな場合にはうまくいかない。国語の点、数学の点、それぞれで合否を決めて、両方合格点なら合格、みたいな使い方しかできないからだ。実際の運用では多種類の決定木を用意して、その多数決で決定する、という高等手法が使われていてこの欠点の解消が図られている。

もう一つの問題点は「確からしさ」みたいなものが表しにくい、ということだ。「足し上げる」に出てきた線形判別や、「かけ合わせる」に出てきたロジスティック回帰の場合は、「境界」がはっきり決まっていて、そこから遠いほうが確からしい（逆にいうと境界のそばは確からしさが低い）ということを、境界からの距離で表現できたが、決定木の場合は、そもそも「境界からの距離」みたいなものが定義できていないからそういうことができない。合否の問題でいえば「合格点より点が高いほど優秀だ」とか簡単にいえる（だからこそ、入試の成績と入学後の成績がなるべく同順になるように国語と数学の点の比率を決める、とかが可能だった）が、決定木で合否を決めた場合は、そう簡単にはいかない。国語と数学、どちらかが合否ラインから10点高い学生がいたとして、どっちがより合格ラインから離れているのか？（より優秀なのか？）は決定木の結果からでは判断しようがないが、線形判別なら国語と数学をどのように重みづけしたかがわかっているから判断できる。国語の比重のほうが大きければ、国語が10点高いほうが優秀（入学後の成績がよい）だし、逆なら逆だ。だが、決定木ではこんなことはできない。

　だから、いままでの機械学習の方法と同じように、一見万能そうに見える決定木も一長一短がある。決定木を使うべきかどうかは、まさに、データの種類と目的によるものなのだ。

決定木の学習

　それではトムがサマーが運命の人かどうかを確かめるのに、決定木をどう使えばいいだろう？　現実にはそんなことは無理だと思うが、トムはいろんなカップル、うまくいかなかったのもうまくいったのも合わせて、なるべくたくさんのカップルから、１ヵ月の電話時間、寝た回数、ハグの回数、キスの回数、などなど、自分が判断材料にしたいと思う事項を多数集める。そして、うまくいったカップルと破綻したカップルに分ける。最後に、膨大な試行錯誤で、カップルがうまくいったかどうかをなるべくうまく予測できる決定木を考える。それはたとえば、こんな感じだ。

　まず、最初にどの事項に注目するか考える。たとえば、１ヵ月の電話時間、にしよう。カップルを成功組と失敗組に分け、電話時間の長い順に並べる。そうやって並べても、成功組と失敗組は入り混じっているだろうけど、それでもなるべく成功組と失敗組が分離できるような時間を決め、「○○時間未満なら成功、以上なら失敗」みたいな決定木を作る。これをすべての事項について試し、「もっとも分離性能がよい決定木」を１個選んで採用する。それがたとえば「電話の時間が10時間以上なら失敗、10時間未満なら成功」だとしよう。

　こうやって分けた「成功カップル組」と「失敗カップル組」には実際には成功したカップルと失敗したカップルが混在しているはずだ。月当たりの電話の時間だけで成功カップルと失敗

カップルを完全に分けることなどできないはずだから。そこで、このそれぞれのグループをまた成功カップル組と、失敗カップル組に分けるにはどの事項のどのあたりで分けるのがいいか、全部試す。たとえば、これが「寝た回数が10回以上か未満か」ならそこを境界にする決定木を作っていく。こうやってどんどん決定木を足していき、どうやっても正解率が上がらなくなったら決定木を足すのをやめる。こうすれば、サマーが運命の人かどうかの判断に役に立たない事項は、決定木には組み込まれないことに自動的になるから、どの事項が判定に役立つかという選択も同時にできる。

　実際に、こうやって作った決定木が、どれくらい正確かにトムは不安を抱くかもしれない。その場合は、交差検定、つまり、全体の90％だけを使って決定木を作り、残りの10％がどれくらい当たるか、というのを、90％と10％に分けるやり方を何度も何度も繰り返して、平均をとれば予想できる。

　こうやって苦労して作った決定木で、がんばっても、結局はその予測は「外れ」かもしれない。でも、運がよければ、トムは早々にサマーに見切りをつけて傷つかずに済んだかもしれない。トムが機械学習を知らなかったのは気の毒というしかない。

未来は過去で決まっているⅢ ── ベイジアンネットワーク

　人生を順序どおり送ることができず、行ったり来たりの数奇な人生を送ったガースは、その特異な能力を駆使して最愛の人

エレーンを死すべき運命（さだめ）から救い出そうと悪戦苦闘し、がんの前兆を見逃さずに健康診断を受けるようにエレーンにアドバイスする、という解決策にたどり着いた。だが、人生、あることがたった一つの原因で起きることはむしろ珍しく、複数の要因が重なり合って何かが起きることのほうが多いだろう。エレーンはヘビースモーカーだったかもしれない。はたまた、乳がんを発症する遺伝子変異をもともと持っていたかもしれない。実際の因果は直線的ではなく、「多対1」の関係にあることのほうが多いだろう。

たとえば、数学と国語の点で合否を決める問題を考えよう。「かけ合わせる」のロジスティック回帰で見たように、この手の問題には、表面には出ていないだけで本当は確率が隠れている。今年受験して合格した学生が、いつも必ず合格できるとは限らないというのは衆目の一致するところだろう。次の年に受けたら、競争相手であるほかの志願者も、問題も変わってしまうのはいわずもがな。だが、トム・クルーズ主演のハリウッド映画『オール・ユー・ニード・イズ・キル』よろしく何度も何度も同じ場面を繰り返すことができても、毎回合格できるとは限らない（まあ、一度合格したのにまた時間を遡ってやり直すバカはいないだろうけど）。

『オール・ユー・ニード・イズ・キル』の原作は日本のライトノベルで、アバターが死んでもリセットされて最初っからになるだけのゲーム世界が現実でも起きたら、というたわいもないアイディアがもとなのだが、トム・クルーズ演じる主人公

は、時間を巻き戻して何度でもやり直せる能力を持っているために無敵である侵略者に対して、たまたま自分が手に入れた同じ能力を駆使して何度も何度も挑み続ける。同じ場面で繰り返された一つ一つの行動を集めれば、それは一種の確率と見ることができる。トム・クルーズ演じる主人公があるシーンで、車に乗るか、はたまた、ヘリコプターを選ぶかで、彼の5分後の生存確率は劇的に変わりうる。そして、未来を決めるのはこれだけではない。数学と国語という2つの事項が合否を決めていたように、トム・クルーズ演じる主人公がある瞬間にとる多数の行動が、複合的に未来を確率的に決めていく。世の中はすべて、「多対1」の因果で確率的に支配されている。

　たとえば、あなたは高校生で、将来、ある有名企業に入社して活躍したいと思っているとしよう。そのためには、ある有名大学に入学することが重要だとしよう。当然、そのためには、あなたの成績がよくなくてはならないだろう。だからこの場合の因果の連鎖は、よい成績→有名大学合格→有名企業入社と直線的だ。だが、ここで成績のところをもうちょっと細かく見るとしよう。たとえば、国語と数学の成績だ。すると因果の連携は（国語の成績・数学の成績）→有名大学入学→有名企業入社、といったものになる。国語と数学の成績に直接の因果関係はないから、国語と数学の成績は並列に考えるべきで、「国語の成績はこれこれ、数学の成績はこれこれ、その場合有名大学の合格率はこれこれ」といったものになる。

　トーマス・ベイズが考案したベイズ統計にその名前の由来が

ある、ベイジアンネットワークは、これを「自動的に」やる
機械学習だ。たとえば、将来野球選手になりたい、という夢を
かなえるために、あなたがすべきことはなんだろう？　高校野
球で活躍することが大切だろうか？　その場合、名門校に入っ
たほうがいいのか？　それとも、名門校に入ってしまったらレ
ギュラーになれないかもしれないから、そこそこの高校に入っ
て四番でエースを目指し、地方大会で活躍してスカウトの目に
留まることを狙ったほうがいいのか？　戦略はいろいろ考えら
れる。

　この問題にベイジアンネットワークでトライするにはこんな
ふうにする。まず、「結果」（いまの場合は野球選手になるこ
と）に関係しそうな事例をなるべく多く集める。この場合は、
野球選手になりたいと望んだ少年たちの事例をなるべくたくさ
ん集める。そして、その夢がかなった少年と、かなわなかった
少年に分ける。もちろん、ほとんどの少年は夢破れて、ごくあ
りふれた人生を送っただろうけど、それはまあ、構わない。集
めたら今度はそれを使って「野球選手になるにはどうすれば
いいか？」という問題を解く。いままでの機械学習だったら、
線形回帰にせよ、線形判別にせよ、ロジスティック回帰にせ
よ、はたまた決定木にせよ、なんでもいいから「野球選手に
なれるかどうか」の予測がなるべく高くなるように、予測に
使う事項を選んだり、それらを足したり引いたりする係数を工
夫したりした。だが、ベイジアンネットワークの場合は、予測
に使う事項どうしの間に、因果関係を仮定する。
　たとえば、「野球選手になる」という目的に対して「甲子園

で優勝」「名門校でレギュラー」「地方大会で優勝」「四番でエース」という事項を考えよう。これらの間には厳然たる因果関係がある。夏の大会の場合、「地方大会で優勝」なしには「甲子園で優勝」ということはないからだ。そして、地方大会で優勝した場合、甲子園で優勝する確率は出場校数分の1である。そんなことを考えると、図4-4のような感じになるだろう。

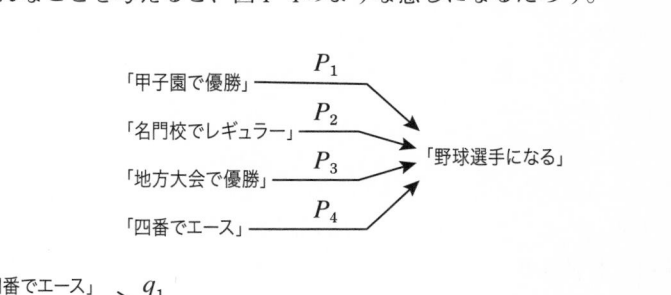

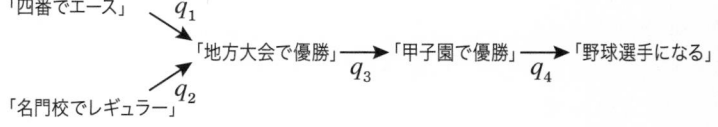

図4-4　甲子園に行けるかどうかのベイジアンネットワークによる2種類の予測

　ここには2つのベイジアンネットワークが描かれている。上のネットワークでは4つの事項がそれぞれ独立に野球選手になれる確率に寄与している。P_1、P_2、P_3、P_4は、単純に「甲子園で優勝した少年が野球選手になれた確率」「名門校でレギュラーだった少年が野球選手になれた確率」「地方大会で優勝した少年が野球選手になれた確率」「四番でエースだった少年が野球選手になれた確率」であり、実際に集めてきたデータか

ら簡単に計算できる。このネットワークによると「甲子園で優勝し、名門校でレギュラーであり、地方大会で優勝し、四番でエースだった少年が野球選手になれる確率」は単純に４つの確率の積で$P_1 \times P_2 \times P_3 \times P_4$である。一方で、「甲子園で優勝しなかったが、名門校でレギュラーであり、地方大会で優勝し、四番でエースだった少年が野球選手になれる確率」は（$1 - P_1$）$\times P_2 \times P_3 \times P_4$で与えられることになる。他方、下のネットワークでは「四番でエースだった少年が地方大会で優勝した確率」「名門校でレギュラーだった少年が地方大会で優勝した確率」「地方大会で優勝した少年が甲子園で優勝した確率」「甲子園で優勝した少年が野球選手になれた確率」などの計算が必要であるが、これらも集めたデータから簡単に計算できる。この場合「四番でエース、地方大会で優勝し甲子園で優勝した少年が野球選手になれる確率」は$q_1 \times q_3 \times q_4$になる。「四番でエースではないが、地方大会で優勝し甲子園で優勝した少年が野球選手になれる確率」が（$1 - q_1$）$\times q_3 \times q_4$なのはもう説明不要だろう。さてどっちがよりよく現実を表現しているだろうか？

　図4-4のベイジアンネットワークの場合、「甲子園で優勝し、名門校でレギュラーだったが、地方大会では優勝できず、四番でエースだった少年が野球選手になれる確率」は$P_1 \times P_2 \times$（$1 - P_3$）$\times P_4$ということになる。だが、これは明らかにおかしい。「夏の地方大会では優勝しなかったが甲子園で優勝した少年」などいないはずだからだ。下の場合は、こんな変なことは起きないようにきちっと因果関係が構築されている一方、

「甲子園で優勝せずに野球選手になった少年」はいないことに
なってしまう。これはこれでもちろん、おかしいだろう。Pや
qといった確率は集めたデータから容易に計算できる量だか
ら、実際にどっちのベイジアンネットワークのほうが現実に近
いか、ということも簡単に計算できるはずだ。だから「最適
の」ベイジアンネットワークもきっと計算できる。

いまは、「地方大会で優勝せず甲子園で優勝する少年などあ
りえない」ということを我々は常識として知っているから、
図4-4下のネットワークを提案したが、実際にコンピュータで
やる場合は、コンピュータはありとあらゆるネットワークを全
部試し、現実をもっともよく表す構造を探していく。その過程
で自然に「夏の地方大会で優勝せず甲子園で優勝する」確率
はゼロだということにコンピュータは気づくだろう。

『オール・ユー・ニード・イズ・キル』の主人公は、それと
意識してはいなくても、同じ歴史を何度も何度も繰り返すこと
でベイジアンネットワークの構築と同じことをして、「ラスボ
スを倒す」というパスを探して悪戦苦闘する。そして行き詰
まる。彼には、かつては彼と同じ能力を持っていたがその能力
をいまは失ってしまった女性のパートナーがいる。彼女はずっ
と彼に付き添ってアドバイスしてくれていたが、ある場面で、
彼女といっしょではどうしても先に進めず、彼女にあきらめて
もらうしかないことに主人公は気づく。それはあたかも「地
方大会で優勝しなければ甲子園で優勝できない」みたいな、
しかし、それほど自明ではないリンクの欠如に気づくことと同

じだ。ここであきらめて、自分だけが行き、彼女は生き残るという選択肢を主人公は彼女に提案するが、頑固な彼女はどうしても言うことを聞かない。だが、彼には彼女を見殺しにできない理由がある。なぜなら、ここで彼女を殺されてしまったら、その後にラスボスを倒すことができても、時間を巻き戻して彼女を助けることができなくなってしまうからだ。そんなことをしたら、せっかく倒したラスボスもよみがえってしまう。

　この主人公がどんな選択をし、このたわいもない荒唐無稽なハリウッド映画がどんな結末を迎えたかは、みなさんのお楽しみにとっておく。ベイジアンネットワークはこんなふうに、「因果の連鎖」をデータからトレースすることで、「あることが起きるためには何が起きないといけないか」を可視化してくれる、優れた機械学習のツールなのだ。それが「彼女の死なしにはラスボスが倒せない」という残酷な運命の可視化だったとしても。

第5章

次元をあげる
──見えない次元を推定する

　ここまで機械学習の目的は関係性の予測だ、と何度も繰り返してきた。また、その過程ではたくさんある事項のうち、いくつかのものを選んだり（1ヵ月の電話時間でサマーの適性を判定する決定木）、あるいは、組み合わせて新しい変数を作ったり（国語と数学の点を組み合わせて合否の判定に使えるスコアを定義する）することで、人間にわかりやすい少ない数のもので何かを説明しようと試みてきた。だが、機械学習の中には、逆に、「増やす」ほうに性能を発揮する手法もある。

　例を挙げよう。

　夜空を見上げると、目に留まる星座。おそらく、この本を手にとっている（あるいはタブレットの上で読んでいる）読者の中には「都会」に住んでいてほとんど星座が見えない人もいることだろう。でも、そこは、想像力をたくましくして、夜空を見上げて星座が見えたと思ってほしい。

　さて、どんな星座が見えるだろうか？　有名なところで、オリオン座、とか、カシオペア座なんかどうだろう？　冬だったらおうし座、夏空ならさそり座なんかもいいかもしれない。人や家具や動物を象った星の並びを、みなさんは目にするだろう。だが、よく考えると「星座を構成する星々」は別に実際

の宇宙空間でそばにあるわけでも何でもない。地球から見た目線上でそばにあるだけで奥行き方向の距離は無視されている。だから、なんらかの機械学習の手法で、天空上の位置関係に基づいて、天体を「分類」しようとしても絶対にうまくいかないだろう。なぜなら、地球から見た天体の位置関係は本当に、たまたま、銀河系の端っこにある太陽系から見たときの位置関係にすぎず、銀河系の反対の端にある別の太陽系から見たら、地球から見たときにそばにある星々は、てんでんばらばらの位置にしかないだろう。

　だが、もし、この「奥行き」を推定することができたらどうだろう？　それは「本当の位置関係」を推定しているのだから、当然、天空上の位置よりもずっとよく「天体と天体の関係」を表現しているはずだ。だが、そんなことが可能なのか？　可能だ、というのがある機械学習の手法の主張だ。その名はカーネルトリック、という。

見えない次元を見る ── カーネルトリック

　実際には測りようがない奥行き方向の距離を推定することなど不可能に思える。福田繁雄の『ランチはヘルメットをかぶって…』（31ページ）はまさに、この「奥行き方向がどうなっていても影絵の輪郭は変わらない」という事実を巧みに使ったアートだ。奥行き方向が影絵に影響しないからこそ、我々が目にする3次元の形状は無秩序なカオスに見せながら、影絵ではちゃんとした輪郭（いまの場合はバイク）を描いて見せる

から驚きが生まれる。影絵から奥行きが想像できてしまったら、3次元の形状を見ても驚きはなく、このアートは成立しない。だから、影絵から奥行きを想像することなどできそうもない気がする。

確かに、情報が影絵だけだったらそれは不可能だ。だが、機械学習の場合は、我々はさまざまな付加情報を持っている。たとえば、どれとどれは仲間のはずだ、という情報だ。

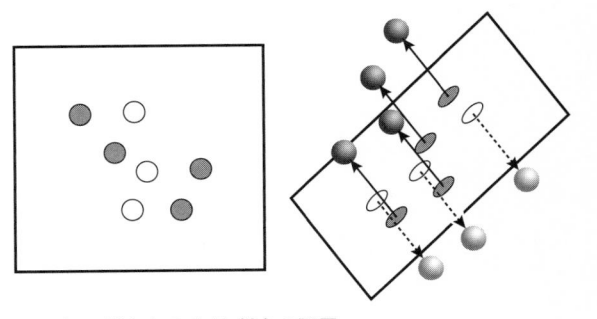

図5-1　2次元（左）と3次元（右）の配置

図5-1（左）のように、灰色の丸と白丸が交ざっていたら、うまくグルーピングすることは無理だ。だが、本当は図5-1（右）のように手前と奥に分かれているならば簡単にグルーピングできる。このように「灰色と白は、本当はそれぞれ仲間なんじゃないか？」→「だったら、こういう奥行きだったらいいよね？」と考えれば見えない奥行きを推定することが可能だろう。

　だが、なんでもいいから、こういうことができればいいとなったら、とにかく、うまく分かれるように「余分な変数」を付ければいいことになるから、なんでもありになってしまう。「本当は見えない『奥行き』があってちゃんとグルーピングできているのでは？」と考えるなら『奥行き』の付け方になんらかの「制限」がなくてはならない。それは何だろう？

　まず、すでにわかっている位置から計算できるようなルールになっていなくてはいけない、ということにしよう。たとえば、平面上の位置が緯度と経度の２つの数字で記述されているならば、奥行きは緯度の２乗と経度の２乗、などである。で、このルールを付加情報（白丸と灰色の丸は互いに離れていなくてはいけないが、白丸どうし、灰色の丸どうしはそばにいてほしい）を考慮して決めることができるか、という問題にする。

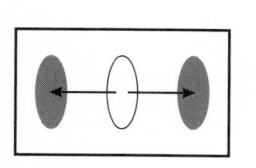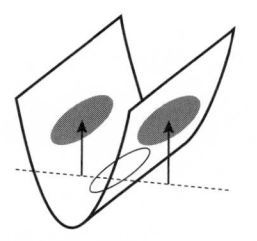

図5-2　2 次元の配置（左）から 3 次元の配置（右）を作る

　たとえば、図5-2（左）のように、灰色と白が互い違いに配置されていると、白と灰色を二分することはできない。だが図5-2（右）のように「白から灰色への距離（矢印）の長さ分、奥行きがある（が、影絵になっているので潰れている）」とみ

なすと、灰色と白を高さできれいに分けて二分できる。

「これはいくらなんでもやらせがすぎるのでは？」と思うのは当然だろう。だが、実際には何度も出てきた交差検定を使うことで、過学習でたまたま当たってしまうのを防ぐことにより、実用性があると多数の応用例で実証済みである。

　実際、この本でも後述する深層学習がブレイクして流行るまでは、この「見えないけど本当はあるはずの数」を付け加えて考えるカーネルトリックが大流行りで、この本でいうところの「埋め込む」と「足し上げる」の手法で論文を書いていた僕は、論文を投稿するたびに（仮に十分いい結果が出ていても）「カーネルトリックでもっといい結果が出るはずだから、やりなさい」と言われてさんざん苦労させられた。

見えない変数の実在性 —— 伏線とどんでん返し

　おそらく、ここまで読んできた読者はカーネルトリックのうさんくささや、いいかげんさに辟易し、「こんなものが流行っていたなんて信じられん！」と思っていることだろう。それは無理もない。でも、こう考えたらどうだろう？　カーネルトリックで導入（再現？）される見えない変数（影絵の場合は奥行き）とは「小説やドラマにおける伏線みたいなものだ」と。

　どんでん返しの名作として話題になった映画、ナイト・シャマラン監督の『シックス・センス』。アクション俳優としてな

らしたブルース・ウィリスが、子供相手の精神科医を演じるという異色の作品なのだが、じつによくできている（この映画を観たい方はネタバレを含むので、以下を読む前に映画を観てほしい）。

この精神科医によって数多くの子供が治癒し、彼は表彰までされたのだが、かつて「死者が見える」という妄想を持つ少年を助けることができず、その妄想を持ったまま成人してしまった少年に、逆恨みされてトラウマを抱えるようになった。そんな彼が同じ症状の少年を担当し、今度こそはと意気込む。前回の反省を生かし、彼は少年の妄想を否定せず、「少年が見ている幽霊は実在している」という立場で徹底的に少年に付き合う。「少女の幽霊が、母親に毒殺されたと言っている」と少年が申告すれば、死んだ少女の家にいっしょに行って好きなようにさせる。だが、驚いたことに、母親が自分の娘を毒殺した証拠は実在した。そして、少年は医者が自分の妄想を信じてくれたことで「幽霊が見える自分」を受け入れ、「別に幽霊が見えたって他人に見えないものが見えるだけだ」と思い直し、結果的に更生を果たす。

これ自体、十分に感動的なのだが、この映画が衝撃的だったのはこの後にもう一つ、すごいオチがあったことだ。ラストシーン、実は医者自身が幽霊でとっくに死んでいたことが判明する。幽霊が見えるのは少年だけ、という設定で、彼と少年以外にも無数の人物が登場するのに、こんな設定で話が持つわけはない、と普通は思う。だが、詳細に見てみると、この精神科医

は少年以外とは一言も口をきいていない。何も買ってないし、ドアを開けるシーンさえない。伏線は死ぬほど張られていて少年は「死者はお互いが見えない」「自分が死んだと思っていない」「君はもう死んでいると言ってもわかってくれない」などと告白しているし、少年と精神科医以外の視点からのシーンは一つもないから、じつに一つの矛盾さえない。中でも、彼には最愛の妻がいて、彼のトラウマのせいで夫婦関係がうまくいかなくなったという設定。彼と妻が向かい合って食事するシーンまであるのに、無口な妻は夫との間が冷め切っているようにしか見えない（本当は彼女には幽霊である夫が見えないから口をきかないだけなのに）。中でも結婚記念日に思い出のレストランで向かい合って食事までしながら、互いに一言も口をきかず、あげくに妻が沈黙に耐えかねて中座するシーンは、「ああ、これは本当に冷め切った夫婦なんだ」「せっかく結婚記念日によりを戻そうと思ったのにダメだったね！」などと思うわけだが、あとから考えたらこのシーンは、「死んだ夫のことが忘れられない妻がわざと２人分の席を予約し、からっぽの彼の席の正面で食事をしていたのだが、途中で耐えられなくなって中座する」という夫婦愛の極限みたいな真逆のシーンだったのだ。それを観客にまったく違和感を持たせずに約２時間の映画を撮った監督の手腕はすごい。

　この映画、最後に「この精神科医は幽霊だった」という重要な情報が明かされるまでは、この事実は隠されている。そして、たぶん、この映画で「この精神科医は幽霊だった」という以外のオチを持ってくるのは無理だろう。ほとんどそのオチのため

に作られた映画みたいなものだからだ。で、カーネルトリックで後から導入される見えない変数＝奥行き、とは、この「この精神科医は幽霊だった」みたいなものなのだ。いかにご都合主義的に見えても、後からつじつまがあうように情報を付加するのは簡単ではない。だから、カーネルトリックといえどもそれほど好き勝手に情報を付け加えられるわけではないのだ。案外、あとから矛盾なく付加できる情報の方法は限られる。

見えない次元は推定できるか？　——視覚心理学

　右下の写真を見てほしい。これは僕の研究室の机で、その上に置いてあるティッシュペーパーの写真だ。その写真に太い実線を2本、箱の手前と奥の辺に、あとから描き加えた。さて、質問。「太い実線はどっちが長いでしょう？」「バカな質問。上の線のほうが明らかに長い」とみな思うだろう。だが、信じてほしい。この2本の線は同じ長さなのだ。「そんなバカな！」と思ったら定規で測ってほしい。この実線を描き加えるときには同じ線をコピーして描いたのだから、同じ長さなのは間違いない。なんでこんなおかしなことが起きるのだろうか？

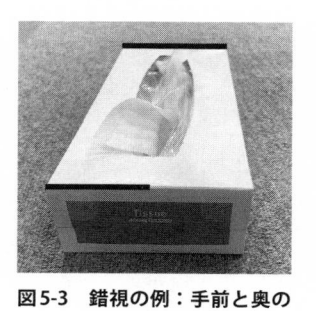

図5-3　錯視の例：手前と奥の太線は長さが等しい

　我々が何かを見るとき、我々は網膜に写った画像を見ているにすぎない。だが、我々の世界は3次元だから、脳は現実の世界のフル

カラーの影絵にすぎない網膜像から、3次元を「再現」することを強いられる。福田繁雄の『ランチはヘルメットをかぶって…』の例に見るように、影絵から奥行きを間違わずに再現することはできないはずだ。だが、影絵にすぎないこの写真を見て、我々はちゃんと奥行きを認識できる。一方で「影絵から奥行きは再現できない」という事実があり、しかし「写真から3次元の空間を再現できる」というのは大きな矛盾ではないか?

ここにカーネルトリックがうまくいく秘密が隠されている。平面から3次元は再現できないが、我々(の脳)は経験から「写真がどのような立体を写したものなのか」という膨大なデータベースを保持している。だから、「こんな写真になるのはどんな3次元空間がもっともらしいか?」という機械学習の問題を、脳は解いているにすぎないのだ。

この本の「はじめに」で述べたように、機械学習は穴埋め問題が得意である。平面から奥行きを再現するというのは機械学習の得意な穴埋め問題(平面から奥行きという穴を埋める)にすぎない。だから、我々の脳が同じことをこなしていても、まったく驚くには値しないのだ。

図5-3の写真は奥行きがあるから(専門用語でいうとパースがかかっている)、実際に定規で測ると太線を含む箱の手前の辺より、太線を含む奥の辺のほうがずっと短い。だが、我々の脳は経験から「実際の測定結果と違ってこれは同じ長さなんだ」と知っているから、この奥と手前で辺の長さが違う写

真から「この箱は直方体だ」と認識できる（というか、そう感じるように認知をゆがめている）。

　世の中でいわれる「錯視」の多くはこの「影絵から奥行きを再現する」という無理ゲーを脳が強引にこなしていることから起きている。だから、錯視のない視覚情報処理系はないし、それがあることが逆に無理ゲーをなんとかこなしていることの証だ。

　同時にカーネルトリックは所詮、この程度のものだということでもある。同じ長さの太い線を違う長さだと認識する程度の間違いは、ありもしない奥行きを付け加える以上、許容しなくてはならないのだ。

　私たちの視覚が、機械学習のカーネルトリックもどきをしていることを実際に確認してみよう。図5-4のイラストを見てほ

図5-4
一見すると何の
問題もないよう
に見えるが……

しい。どこがおかしいかわかるだろうか？　少女の視線の先に
ある本に注目してほしい。違和感はないだろうか？

　すぐにわかる人も、わからない人もいるだろう。答えを言おう。
　向かって左側の本の縁（本の「背」）は床のラインと平行だ
が、右側の本の縁は床のラインと平行ではない。平行に描かれ
た床の線に沿って直方体の本を置いたのだから、当然、本のど
ちらの縁も床の線と平行でなくてはならない。だが、本のほう
は奥に向かって幅が狭くなるように描かれていないためにこん
な変なことが起きている。また、実際に定規で測ってみればわ
かるが、本の手前の縁と奥の縁の長さが同じになっている。本
来であれば奥の縁のほうが短くなるはずなのに……。

　このあり得ないイラストをみて、すぐに「あり得ない」と
感じる人はどのくらいいるだろうか？　本は、実際には直方体
であることを我々の脳は知っているので、手前の縁と奥の縁の
長さが等しい本の絵を見せられても違和感を覚えない。なぜな
ら、それは「本当の」姿だから。一方、床のラインは普通に
奥に向かって間隔が狭くなっている。これは「実際に見える
映像」である。こんな風に、実際には絶対にあり得ない「実
際に見える映像」と「本当の形」が共存したイラストなのに、
我々の脳はこれを都合よく解釈している。もともと我々の脳は
「平面映像から３次元空間を再現する」という無理ゲーをやら
されているので、これくらいはスルーしてしまうので、我々は
こんなにいい加減なイラストでも違和感を持って見ることが難
しいのだ。

　実のところ、普通にテレビで放映されているアニメの多くが
こういった「同じ長さのものが手前では長くなり、奥では短
くなる」というルールを無視している。実写であればこうい
うことは起きないが、手書きのイラストを何枚も連ねて動きを
表現するアニメーションという技法の場合、「現実に見えるも
のを描く」か「現実っぽいものを描くか」は描き手の感性に
ゆだねられている。アニメに出てくるキャラクターの多くは現
実にはあり得ないほど目が大きかったり、顔が大きかったりす
るわけだが、我々はそれに違和感を持つことはない。だが、そ
れでも「アニメのキャラってあり得ないほど目が大きかった
り、顔が大きかったりするよね？」と言われたら「いや、そ
んなことはない」と反論する人は誰もいないだろう。だが、
「アニメって手前のものが長く、奥のものが短く描かれてない
よね？」って言われたら頷けるひとはどれくらいいるだろう
か？　嘘だと思ったら、お気に入りのアニメのワンシーンをポー
ズ（一時停止）して奥行きと手前の長さを比べてみてほし
い。驚くほど多くのものが「手前のものが長く、奥のものが
短く描かれてない」ことを発見することだろう。ねらい目は
「四角いもの」である。テーブルとか、テレビとかスマホとか、
直方体のものがはっきり映っている画面を見つけて試してほし
い。そして、「手前のものが長く、奥のものが短く描かれてな
い」ものを見つけたらもう一回マジマジと眺めてほしい。き
っと違和感はあまり覚えないはずだ。現実にはあり得ない画像
をみているはずなのに、だ。それは我々の脳がどっちにしろ平
面の情報からは決めようがない「奥行き」を勝手に付け加え
て目に見えるものを解釈している証拠に他ならない。どうせ、

わからないものを適当に決めているだけなのだ、現実とちょっとくらい違っていてもそれが何か？　我々の脳はそう言っているのである。

場所の推定から距離の推定へ —— 距離の概念の拡張

　さて、ここまでカーネルトリックを「見えない次元の再現（影絵からの奥行きの再現）」として紹介してきていまさらだが、実際にカーネルトリックが推定しているのは「見えない次元」ではなく「距離」である。

　「それならそうと早く言え」と言われそうだが、いきなり「距離の推定をします」とか言うと混乱を招きそうなので、こんな順番になりました。ごめんなさい。

　「第1章　埋め込む」で説明したように、位置情報は本質的に距離情報で置き換えられる。そして、人間は往々にして距離情報のほうがわかりやすい。正方形は「すべての辺の長さが同じで、角が全部90度の四角形」と言われたほうが、「4頂点の座標が（0，0）、（0，1）、（1，0）、（1，1）の四角形」と言われるよりわかりやすい。だから、奥行きそのものではなく、奥行きを考えた空間でどんな形になっているかを想像するほうが建設的だ。それはちょうど42ページの図1-7のような平面への投影から、実際の3次元空間の形は「正四面体だ」と、4頂点間の距離情報として推定するのに等しい。

　で、ここからうんと話が難しくなる（抽象度が上がる）のだが、カーネルトリックは単純に2次元から3次元、3次元から4次元というように次元を付け加える以上の、もっとずっと高度な方法で見えない次元を推定している。それは距離の計算方法の変更だ。

　距離とは点と点の直線距離だ、というのはあまりにも当たり前に見えるかもしれないが、実はそんなに単純ではない。

　たとえば、地球上の2点間を繋ぐ、地表面上を通る（地下に潜らないし、空も飛ばない）場合の最短経路は何か？　「何を言ってるんだ、直線に決まっているだろ」と言うなかれ。地球の表面は球面だ。東京とニューヨークを直線で繋いだら地

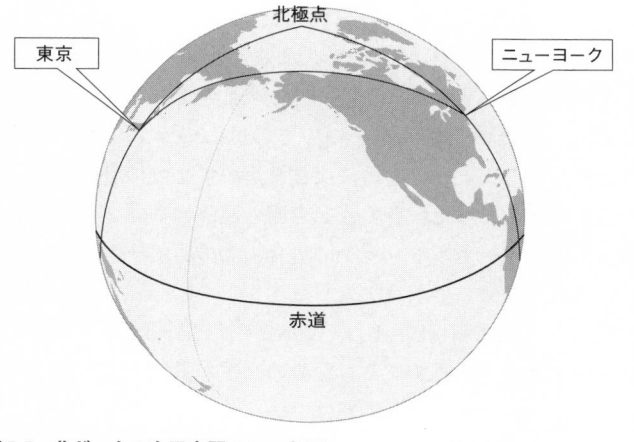

図5-5　曲がった2次元空間での三角形

面に潜ってしまって、「地表面」という条件に反してしまう。じゃあ、どんな「曲線」に沿ってどうしたら「最短距離」なのか？　答えは「地球の半径と同じ半径の円の一部の円弧に沿って」移動すると最短距離なのだ。だから、地表面上では「平行線は交わらない」という条件さえ変わってしまう。東京とニューヨークで正確に南北方向の直線を引いたらそれは普通は「平行」とみなされるだろうが、この直線を南北に延長したら北極と南極で交わるのは明らかだ（南北方向なのだから）。だから、単に「距離が定義できる」というだけなら、考えうる「空間」の概念は我々が思うよりずっと多様で柔軟だ。カーネルトリックが直接「次元」を扱わないで「距離」の予測に拘泥するのは、そっちのほうがずっと広い空間を想定できて、だから、見た目上交じっている集団がうまく分かれるような疑似空間を想定しやすいからだ。

　それでは、カーネルトリックはどんなふうに「距離」の概念を拡張することで、「想像しがたい謎空間だけど距離は定義できる」みたいな離れ業をやってのけるのか？　まず、直線上の2点を考えよう。適当に原点を決めて2点の場所を測ったら1mと2mだった。さて、2点間の距離は？　$2 - 1 = 1$m であろう。カーネルトリックの場合、この距離そのものではなく、距離の2乗に注目する。つまり $(2-1)^2 = (2-1) \times (2-1) = (2 \times 2) - (2 \times 1) - (1 \times 2) + (1 \times 1) = 4 - 2 - 2 + 1 = 1$ という計算である。距離の2乗が計算できればその平方根をとれば距離だから問題はない。で、カーネルトリックではこの距離の計算で出てくる 2×1 の部分を「拡張」する。

どう拡張するかというとたとえば 2×1 を $(2 \times 1)^2$ にする。すると1mにある点と2mにある点の間の距離の2乗（もはや「2乗」ではないのであくまで「2乗」に相当するものというべきだろう）は $(2 \times 2)^2 - (2 \times 1)^2 - (1 \times 2)^2 + (1 \times 1)^2 = 16 - 4 - 4 + 1 = 9$ となる。これはもはやmではないからmという単位はつかない。

　こうやって掛け算のところを全部掛け算の2乗に置き換えれば、すべての2点間の距離が計算できる。問題は「2点間の距離が『距離の計算にでてくる掛け算を掛け算の2乗に置き換えて計算した値』になる空間はどんな空間？」という問題だが、驚いたことにカーネルトリックでは「それは考えない」ことになっている。どんな空間だかわかりません、でも、その空間に2点があり、直線上の位置は（影絵が3次元の空間の投影であるように）その空間から直線への投影なのです、というわけだ。

　「そんなバカなことがあるか。存在するかどうかわからない空間で距離を定義しました、どんな空間だかわかりませんが存在します。信じてください、なんてそんなのあるか？」と当然のように思うだろう。だが、数学とはそういう学問なのだ。〈1 + 1を問うと物理学者は2.00000……と答え、経済学者は「いくつがいいですか？」と答え、数学者は答えが存在することを証明して満足する（それがいくつであるかに興味がない）〉、というジョークがあるが、「答えがあることはわかっているが答えはわからない」というのは数学では日常茶飯事だ。

「ふざけんな」と思うかもしれないが、我々だって同じようなものだ。たとえば、「4,862,021はある大きな2つの素数の積です。それはいくつといくつでしょう?」ときかれたら、計算の仕方(1で割って、2で割って、と順番にやっていって割り切れる数を探す)がわからない人はいなくても、実際に解答できる人はまれだろう(答えは2,203と2,207です)。実際、この計算は簡単ではない。インターネット上でクレジットカード番号のような秘匿すべき情報を第三者に見られずにオンラインショップに安全に送るときの暗号通信の原理に使われているくらいなのだ。だから、4,862,021が2,203と2,207の積だとすぐに計算できない人は「掛け算を掛け算の2乗で置き換えて計算した距離で点が配置されている空間は(なんだかわからないけど)実際に存在します」と言われて、怒ってはいけない。

「そんなふうに距離が定義できても、実際に空間が定義できないなら何の役に立つ?」と思うかもしれない。だが、案外役に立つのだ。たとえば、2点間の距離がわかっているなら、これを使ってk近傍法を実行することができる。それから、これはこの本の範囲を超えてしまうから説明しないけど、2点間の距離がわかっていれば、決定木を作る方法がいろいろあることもわかっている。だから「k近傍法や決定木で予測を行うとして、もっとも『当たり』が多くするにはどんなカーネルを考えればいいか(掛け算の部分をどう置き換えればいいか?)」というのは立派な数学の問題だ。そしてこの「掛け算の拡張」方法はほぼ無限にある。そこを工夫すればそれなしにはできな

い予測が精度よくできる。だから、深層学習がはやるまでは機
械学習の科学者、技術者たちは、このカーネルの設計方法に血
道をあげていたのだ。これ以上は難しくなって説明できないけ
ど、線形判別や線形回帰やロジスティック回帰に出てきた、
「掛け算」の計算を好きなように拡張することでカーネルトリ
ックを使った線形判別、線形回帰、ロジスティック回帰も原理
的には可能なのである。

　この章で僕が説明したかったのはこれだけだ。最後に一つだ
け注意事項を。掛け算をいろんなものに置き換えて距離を計算
し、なんだかわからない空間を考え、その空間内でいろいろな
機械学習の方法を試す、ということが可能なカーネルトリック
だが、一つだけ注意すべきことがある。それは「距離が負に
なってはいけない」という制限だ。$(2 \times 2) - (2 \times 1) - (1 \times 2) + (1 \times 1) = 4 - 2 - 2 + 1 = 1$ という計算には「引
き算」が入っているから、掛け算を拡張するときにやり方を
間違うと、この式の計算結果がマイナスになりかねない。距離
の2乗（に相当するもの）が負になったのでは、平方根がと
れなくなってしまうので元も子もないから、掛け算を拡張する
ときは、どんな値が入っても距離の2乗（に相当するもの）
が負にならない拡張の仕方でなくてはならないという制限があ
る。それがどういう条件なのかはちょっと高度すぎるからやめ
ておく。興味がある人はもっと難しい機械学習の本を読んでほ
しい（ただし、それを理解するには理工系の大学1年生が習
う程度の数学を理解している必要があることは、あらかじめ断
っておく）。

第6章

正しいって何？

——予想が正解か、と、正解が予想できるか、は違う

この章ではちょっと話が脱線する。いままで、いろいろな機械学習を説明してきた。機械学習はあくまで関係性の予測だと何度も強調し、だから試行錯誤で「よい」モデルを探すことが重要で、そのためには交差検定のような方法を使うのが重要だと。埋め込む、足し上げる、かけ合わせる、枝分かれする、そして、次元をあげる、といろいろな方法を紹介してきたが、やり方が違うだけで目的は同じだった。

だが、実はここまである重要なことを議論しないできた。それは「当たりが多い」とはどういうことか、という問題だ。

	サマーは運命の人	予測	
		ではない（不正解）	である（正解）
現実	ではない（不正解）	A（当たり）	B（外れ）
	である（正解）	C（外れ）	D（当たり）

□は当たり、□は外れを示す（以下同）

表6-1　サマーは運命の人かどうかの予測と現実の対応表

表6-1はサマーが運命の人かどうかという予測を機械学習でやった場合の、予測と現実の一致度合いだ。ここでちょっとややこしいが用語をちゃんと定義しておこう。まず、正解と不正解、当たりと外れ、という用語を使い分ける。正解と不正解は、予測したいものとそれ以外、である。わかりにくいがたと

えば、表6-1でいえば「サマーが運命の人」が「正解」で「サマーが運命の人ではない」が不正解。「当たり」とは予測と現実が一致した場合である。表6-1でいえばAは「現実」も「予測」も「不正解」で、「予測」と「現実」が一致しているので「当たり」、Dは「現実」も「予測」も「正解」で、やはり、「予測」と「現実」が一致しているのでこれも「当たり」、Bは「現実」は「不正解」だが、「予測」は「正解」で、「予測」と「現実」が一致していないので「外れ」、同じく、Cは「現実」は「正解」なのに「予測」は「不正解」で「現実」と「予測」が一致していないので「外れ」ということになる。ややこしいことこの上ないが、「当たり」と「外れ」、「正解」と「不正解」の区別をはっきりしておかないと、以下の議論が混乱するのでちゃんと定義しておく。

なお、現実にはこんな表を作ることは不可能だが、こういう表がいろいろな機械学習の手法で作れたとして、どんな表を与えてくれる機械学習の手法がベストなのか？　を考える。「当たり」であるAとDが多いほうがいい。これは間違いない。だから、「外れ」のBやCが少ないほうがいい。だが、BもCも減らしてAやDを増やすというのは簡単ではない。

たとえば、「予測」でサマーが運命の人であると判定する条件をうんと厳しくしたとしよう。その結果、「運命の人である」（正解）という「予測」であるBとDの和は減っていく。そうすれば同時にB、つまり「運命の人だと思ったのに違った！」という「外れ」は減っていく。だが、BとDの和が減るとい

うことはAとCの和が増えるということだ。Cは「運命の人じゃないと思ってあきらめたのに、実は運命の人だった！」という「外れ」だ。

　このことからわかるように、「現実」が「不正解」のときの「外れ」（つまり、サマーが本当は運命の人じゃないのに間違って運命の人だと思ってしまうB）が少なくなるように「正解」と予測する基準を厳しくすると、見逃しが多くなって、「現実」が「正解」のときの「外れ」（つまり、サマーが本当は運命の人なのに間違って運命の人ではない？　と思ってしまうC）が増え、逆に見逃しを減らそうと甘くすると、「現実」が「不正解」のときの「外れ」（つまり、サマーが本当は運命の人じゃないのに運命の人だと思ってしまうB）が増えてしまう、ということだ。いろいろな機械学習を試して選ぼうとしたら、とある2つの機械学習の間でAとDは同じなのに、Bが多い機械学習とCが多い機械学習が見つかってしまった。どっちを選べばいいだろう？　この問題にあらかじめ答えておかなければ、「機械学習でなるべくよい予測ができるように工夫しましょう！」とか言っても絵に描いた餅になってしまう。

　この手の問題は実際、日常生活に頻出する。たとえば、人生の夢。あなたは、漫画家や、芸人や、研究者や、タレントになりたい、とする。どれもなりたい人は多く、しかし、なれる人は少なく、そして、長い下積みを必要とする職業だ。一生、夢を追い続けることはできないので、どこかで「もっとがんばるか、あきらめるか」の決断が必要になる。

　この場合も、なれる（こっちを「正解」としよう）か、なれない（こっちを「不正解」としよう）かに、「現実」と「予測」が存在する。

　なれると思ってなれた（「正解」と「予測」して「当たり」、つまりD）、なれると思ったけどなれなかった（「正解」と「予測」して「外れ」、つまりB）、なれないと思ったけどなれた（「不正解」と「予測」して「外れ」、つまりC）、なれないと思ってなれなかった（「不正解」と「予測」して「当たり」のA）、と4通りの場合が存在する。自分がどれに当てはまっているかはあとになってからしかわからない。

	希望の職業に就く	予測	
		実現しない(不正解)	実現する(正解)
現実	実現しない(不正解)	A（当たり）	B（外れ）
	実現する(正解)	C（外れ）	D（当たり）

表6-2　希望の職業に就けるかどうかの予測と現実の対応表

　ただし、よく芸人なんかで「最後まであきらめなかった奴が芸人になれる」みたいなことを言う人がいるけど、この発言は反証不能だ。たとえ芸人になっていなくとも、本人があきらめない限り、将来、芸人になる可能性が残されている以上、最後まであきらめなかったのに芸人になれなかった人など志半ばで亡くなったヒトを除けば、論理的にありえないからだ。仮に機械学習を使って、自分の夢がかなうかどうか占えるとしても、B（夢がかなうと思ったのに最後までかなわなかったというパターン）が多い手法にするのか、C（夢がかなわないと予測さ

れているのに実はかなうというパターン。この場合はあきらめ
てしまうので実際にはなれなくなってしまう可能性が高いのだ
が）が多い手法にするのか、その選択は実際には無理なのだ。

　そして、非常に残念なことに、この判断をちゃんとしてくれ
る方法はまるで存在しない。だから、この章はある意味で、機
械学習と直接関係のない、どうでもいいことを説明していると
もいえる。だから、ひょっとしたらこの章は読み飛ばしてもい
いかもしれない。それでも、やっぱり重要であることには変わ
りがない。

「現実」の「正解」がどれだけ正しく「予測」できるか？

　まず重要なのは、「現実の『正解』がどれだけ予測できる
か？」である。

		予測	
	サマーは運命の人	ではない（不正解）	である（正解）
現実	ではない（不正解）	A（当たり）	B（外れ）
	である（正解）	C（外れ）	D（当たり）

表6-1　サマーは運命の人かどうかの予測と現実の対応表 （再掲）

　表6-1「現実」が「正解」とはCとDの和だ。このうち、
「当たり」はDだけだからD／（C＋D）が「『現実』の『正解』
がどれだけ正確に『予測』できるか？」を表している。これ
が高いほうが望ましい場合は、「『不正解』を『正解』と間違
って『予測』（B）しても害が少ない」場合である。

134

　たとえば、就職を考えよう。海外ではジョブ型雇用といって、社員は何をするかが明確になっていて、ある意味で仕事に人が張り付いた状態になっている。この場合はなるべく「『現実』の『正解』を正しく『予測』できる割合」、つまり、D／（C＋D）を高くして、どんどん人を採用したほうがいい。なぜなら、もし使えなかったら、「この仕事に向いていないから」という理由で解雇すればいいからだ。逆に、日本ではメンバーシップ型雇用といって、社員は何の仕事をするか明確ではなく、会社が与えた仕事をこなすことが義務づけられる。こうなると誰が不適格かの判断は難しい。だから、やたらと「『現実』の『正解』を正しく『予測』できる割合」、つまり、D／（C＋D）をあげて、ダメな奴（「現実」の「不正解」を「正解」と「予測」してしまった「外れ」であるB）を採用してしまうと解雇できなくて苦しむことになる。

　海外では珍しくないこういう「職能が不十分だという判定に基づく解雇」を描く映画はけっこう多い。『トレイン・ミッション』という映画では、保険会社を突然首になった元警官が「盗品が入ったかばんを持っているプリンという人物を探せ」と依頼され、悪戦苦闘する様が描かれているが、こんな映画は「何十年も勤めた会社をある日突然解雇される」ことが珍しくない海外じゃないと説得力がない。何しろこの映画のオチは「実は解雇からすでに仕組まれていた」なのだが、日本で同じ映画を作ったらかなりの観客が、「この解雇は突然すぎる、なんか裏があるのでは？」と思って疑心暗鬼にかられてしまうので、より多くの観客が物語の中頃でことの真相に気づ

いてしまって映画自体が成り立たないだろう。

　海外では大学入試も「『現実』の『正解』が正しく予測できる割合、D／（C＋D）」重視だということはよく指摘されるところだ。いわゆる入学が簡単で卒業は難しい、というあれだ（実際にそうかは怪しい。アメリカの有名大学は東大以上に入学が難しいのが普通だからだ）。海外では、大学を途中でドロップアウトしても人生のやり直しは比較的容易なので大学側も気にせず、成績が振るわない人間を落とせる。だが、日本では年をくってから大学を卒業するのは致命的に不利な人生を送ることになるので、大学は気軽に退学させられない。結果、入試は厳しくなり「入るのは難しいが出るのは比較的楽」な大学制度になる。

　この「『現実』の『正解』が正しく予測できる割合、D／（C＋D）」重視というのは結局、ミスがゆるされるのと同義だ。よく海外では挑戦して成果をあげることが、失敗しないことより重視されるといわれるが、だからこそ「『現実』の『正解』が正しく予測できる割合、D／（C＋D）」を重視する。挑戦の機会を与えなければ、成功もないからだ。

　日本では雇用や大学入試に限らず、一般にミスが少ないことが重視されるので、たとえば、製品の販売でも故障が少ないことが重視される。その結果、「欠陥品が出荷される割合」は少なくなるが、製品全体の歩留まりは悪くなる（欠陥品の可能性があると判定されて破棄される製品の割合が増える）ので、

製品の単価があがってしまう。最近は日本の経済成長が停滞して賃金が低く抑えられているために、日本製品の価格の高さは揶揄されなくなったが、ちょっと前までは日本の物価は無意味に高いことがよく問題になっていた。

　結局、「『現実』の『正解』が正しく予測できる割合、D／（C＋D）」を重視すべきかどうかは文化的なコンテキスト（文脈・背後関係）に多分に依存してしまう。ここが科学というより技術の側面が強い機械学習の難しいところで、「『現実』の『正解』が正しく予測できる割合、D／（C＋D）」を重視しない日本社会では、往々にして機械学習の社会実装が遅れてしまう。

　たとえば、自動運転。海外ではすでに実用化が部分的に始まっているが、事故を起こさないことが最重要視される日本では、「本当は自動運転は安全なのに導入できない」という逸失利益より、「自動運転で安全じゃないのに導入してしまった」というほうが重視される。これは確実に自動運転の普及を遅らせるだろう。本書はけっしてこういう社会問題を議論する本ではないのだが、現実にはなんらかのモデルを選ぶことを決めなくてはならず、その場合、こういうことは無視できない。

　トムは日本人じゃないから、「『現実』の『正解』が正しく予測できる割合、D／（C＋D）」重視、つまり、「サマーが運命の人だとしたら見逃したくない（Cを少なくしたい！）」という思いが強く、だからなかなかあきらめられず、そこがドラ

マを生む素地になる。これが日本映画に登場する主人公だったら、トムのような考え方はしないだろう。おそらく、日本版のトムは「サマーがダメ人間なのに固執して人生を無駄にする」ほうを恐れるはずだ。

「予測」はどれだけ正確か?

　一方、我々日本人は「予測」の正確さを重視しがちだ。

		予測	
	サマーは運命の人	ではない（不正解）	である（正解）
現実	ではない（不正解）	A（当たり）	B（外れ）
	である（正解）	C（外れ）	D（当たり）

表6-1　サマーは運命の人かどうかの予測と現実の対応表 (再掲)

　「正解」と「予測」されるのは表6-1ではBとDの和。そのうち「現実」の「正解」はDなのでD／（B＋D）が「予測の正確さ」の指標になる。この値を重視する場合、ミスは少ない代わりに見逃しは増える。トムがこっちを重視するなら、サマーにさっさと見切りをつけたはずで、サマーの後釜のオータムはラストシーンでなく、物語中頃に現れて、ひょっとしたらその後トムはさらにウィンターやスプリングという名の女性たちを次々と渡り歩いて、映画のタイトルは『サマー・オータム・ウィンター・スプリングとの500日』だったかもしれない。

　ここでアレッと思ったあなたは鋭い。失敗を恐れ、慎重なはずの日本人が重視する「予測の正確さ、D／（B＋D）」を重

視するトムのほうが、「『現実』の『正解』が正しく予測できる割合、D／（C＋D）」を重視してサマーに固執し続ける本来のトムよりなんとなく「軽薄」に見えるのはなんでだろう？

「予測の正確さ」を重視するほうが慎重で堅実だったのではなかったか？　どこで話が逆転したのだろう？

　実はこの比較には重要な要素が欠けている。それは500日という限られた時間の間に何回トライできるか、という問題だ。「予測の正確さ、D／（B＋D）」を重視する日本版のトムのほうがさっさとあきらめるので、正解に当たる確率は高い。

　ただし、『サマー・オータム・ウィンター・スプリングとの500日』でトムが最後にスプリングと結ばれたとしても、実は、もうちょっとがんばっていればサマーやオータムやウィンターとのすばらしい人生が待っていたかもしれないのに、それを逃している可能性もあるのだ。だが、結果としての成功率は、「予測の正確さ、D／（B＋D）」重視のトムのほうが高くなる。一回一回の成功率が低くても何度も繰り返せば「全部失敗する確率」は低くなる。結果、サマーをいちずに思うトムより、次々と相手を乗り換えるトムのほうが堅実な人間という逆転した結果になる。

　ここにも機械学習でよりよい方法は何か、という問題の難しさが隠れている。個々のモデルを1回の性能だけで評価するのは難しい。同じ表6-1を与える手法であっても、現実と照らし合わせて何度も試せる課題なのかどうかがわからなければどっ

ちがいいとはいえない。

　SF映画で、地球滅亡の危機に、生存可能な惑星を探しに宇宙探査に出かけるというのは定番のモチーフだが、探査チームの数が限られるような設定では「予測の正確さ、$D/(B+D)$」が重視され、逆にたくさん探査チームを送れる場合（たとえば、ロボットや人造人間が量産できて人間の生命に影響なくたくさん送り込めるとか）には「『現実』の『正解』が正しく予測できる割合、$D/(C+D)$」重視がいいだろう。本当は住める惑星が候補に入っているのに取りこぼせば、移住先が見つかる前に人類のほうが滅びてしまうかもしれないからだ。だから、機械学習でどの手法がいいかを選ぶときには「用途」と「目的」をはっきりさせる必要があり、それは往々にして機械学習の専門家の手には負えない。誰がなんと言おうと絶対の実在を探求する物理学みたいな学問とは違うのだ。

当たりの割合

　ここまで読んできて「いろいろごちゃごちゃ言ってるけど、要するにAとD（当たり）が多ければいいんでしょ？　簡単じゃん」と思ったあなた、スルドイ。

　でも、この「当たり（AとD）の割合」、つまり「$(A+D)/(A+B+C+D)$」という評価には大きな落とし穴がある。それは「『現実』の『正解』の割合〔$(C+D)/(A+B+C+D)$〕が少ない場合」である。たとえば、合否判定に機械学習を使って臨んだとする。志願者のわずか10％だけが合格を

出すにふさわしい能力の持ち主であると仮定する。この場合「『当たり』の割合、（A＋D）／（A＋B＋C＋D）が高い」、という評価基準でベストの機械学習の手法が選べるだろうか？たとえば、「『当たり』の割合、（A＋D）／（A＋B＋C＋D）が9割」みたいな方法が選べたらそれは採用だろうか？　ここで「違う！」ってすぐわかったあなたは賢い。なぜなら「全員不合格」という合否判定を下す機械学習は必ず90％以上の「『当たり』の割合、（A＋D）／（A＋B＋C＋D）」を達成してしまうからだ。

		合否判定	
		否	合
現実	優秀ではない（不正解）	A（当たり）	B（外れ）
	優秀である（正解）	C（外れ）	D（当たり）

表6-3　優秀かどうかと合否判定の対応表

　全員不合格なら表6-3でBとDにあたる部分、つまり「合格」はいないわけだ。90％の本来落第させるべき優秀でない志願者（A）は全員ちゃんと不合格になっている。しかし、優秀で合格させるべき10％はみなCに入っていて全員不合格だ。この機械学習による判定は意味がない。だが「『当たり』の割合、（A＋D）／（A＋B＋C＋D）」重視で機械学習を選んでしまうと、こういう無意味なものを選んでしまう可能性がある。

　そして、不幸なことに、世の中の選択というのはたいていの場合「『現実』の『正解』の割合、（C＋D）／（A＋B＋C＋

D）」は少ないのだ。よく新卒採用で学歴フィルターが問題になる。学歴フィルター、というのは個々人の才能を見る前に、「いい大学」出身者だけに候補を絞ってしまうことを意味する。採用する人数が限られているのに志望者が多ければ、この「『現実』の『正解』（C＋D）が少ない場合の機械学習の性能評価の問題」にもろにあたってしまう。そうなると「予測の正確さ、D／（B＋D）」が非常に高い機械学習（たとえば99％とか）がない限り、妥当な人間を採用することはかなわないだろう。そして、99％の「予測の正確さ、D／（B＋D）」の判定機なんて（機械学習に限らなくても）ありそうにない。だから、選考対象者を、学歴だけで一気に絞り込んでしまう、いわゆる学歴フィルターはきわめて合理的なのである。ただ、あからさまに「うちは東大卒しかとりません」とかやったら炎上やバッシングが必至なので誰も言わないだけである。一見すると、いちばん有効そうに見える「『当たり』の割合、（A＋D）／（A＋B＋C＋D）」が、世間で非常に多い「『現実』の『正解』（C＋D）が少ない場合」にはまるで役に立たない、というのは機械学習を現実に使う場合の大きな問題になっている。これもあって機械学習を現実で使うのは難しいのだ。

AUC

　AUCは英語でArea Under the Curve、つまり、グラフより下の部分の面積、という意味だ。そんなものがなんで「正確さ」の議論に関係あるのか？　それは以下のような事情による。「『現実』の『正解』を正しく『予測』できる割合、D

／（C＋D）」も「予測の正確さ、D／（B＋D）」も「『当たり』の割合、（A＋D）／（A＋B＋C＋D）」も、機械学習の性能の指標としてはイマイチだった。そこでまったく別の指標が提案された。「予測の正確さ、D／（B＋D）」と「『現実』の『正解』を正しく『予測』できる割合、D／（C＋D）」にトレードオフがあるなら、どっちかを優先したらもう一方がどれくらいダメになるか、というグラフを描けばいいと誰かが気づいた。これがAUCが正確さの議論に関係する理由である。

　図6-1はすでに説明済みの「『現実』の『正解』を正しく『予測』できる割合、D／（C＋D）」と「『現実』の『不正解』が正しく『予測』できる割合」（表6-3でいえばA／（A＋B））

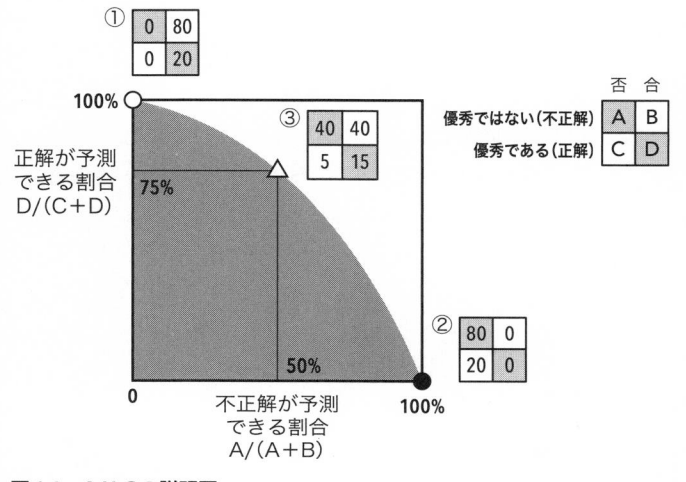

図6-1　AUCの説明図

143

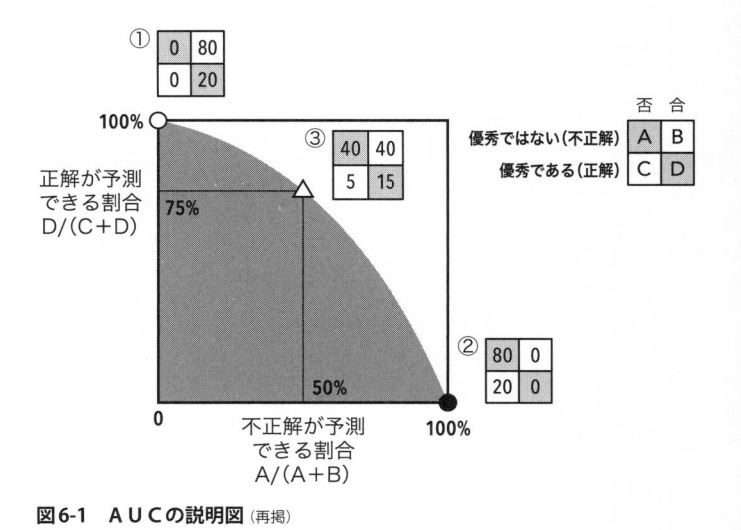

図6-1 ＡＵＣの説明図 (再掲)

の関係を図示したものである。

　図6-1の○を参照していただきたい。この○では、「全員合格」（つまり、Ａ＝Ｃ＝０、例①）なので「正解」（＝優秀な人、Ｃ＋Ｄ）を正しく「予測」（＝合格）する割合〔Ｄ／（Ｃ＋Ｄ）〕は、〔20／（０＋20）〕なので100％となる。一方、「不正解」（＝優秀じゃない人、Ａ＋Ｂ）を正しく「予測」（＝不合格）する割合〔Ａ／（Ａ＋Ｂ）〕は、〔０／（０＋80）〕なので０％になってしまう（誰も不合格にならないのだから当然だ）。

　図6-1の●を参照していただきたい。この●では、「全員不合格」（Ｂ＝Ｄ＝０、例②）となるので、「正解」（＝優秀な人）

を正しく「予測」（＝合格）する割合〔D／（C＋D）〕は〔0／（20＋0）〕で0％（合格者がいないのだから）になってしまう。しかし、その一方で「不正解」（＝優秀じゃない人）を正しく「予測」（＝不合格）する割合〔A／（A＋B）〕は、〔80／（80＋0）〕で100％になる。

　実際の合否判定はこの間のどこかになる。たとえば、100人の志願者（A＋B＋C＋D＝100）がいて、そのうち80人の優秀じゃない志願者（A＋B）が半分落ちる（〔A／（A＋B）〕＝50％）ところまで合否ライン（図6-1の③参照）をあげたとしよう。すると試験は完璧じゃないから何人かの優秀な人はあやまって落とされてしまう。この誤り（C）が5人だとすると「『現実』の『正解』を正しく予測する確率〔D／（C＋D）〕」は75％になる（〔D／（C＋D）〕＝15／20＝75％）。

　図の灰色の部分はこうやって描いた線の下側の面積である。もし、80人の優秀じゃない志願者が半分落ちるところまで合否ラインをあげても、20人の優秀な志願者が誰も落ちない、となると、この曲線はもっとふくらみ、灰色の面積は広くなる。だから、この灰色の面積が正方形の何％を占めるか、でこの機械学習の性能がわかる。

　トムは、サマーが運命の人かどうかを判断するときに、いろいろな機械学習を使うことができ、交差検定で推定した性能がまちまちだったら、前述のように「『現実』の『正解』が予測できる割合、〔D／（C＋D）〕」重視（＝サマーが本当は運命

の人なのに取りこぼすのを避ける）にすべきか、はたまた、「予測の正確さ、〔Ｄ／（Ｂ＋Ｄ）〕」重視（＝サマーが運命の人だと信じたときに実は運命の人じゃないという間違いを避ける）にすべきかで悩むかもしれない。だがこのＡＵＣという指標を使えば、「サマーが運命の人の場合には絶対間違わない（しかし、運命の人じゃない場合は全部間違う）」という場合から「サマーが運命の人じゃない場合に絶対間違わない（しかし、運命の人でも全部あきらめてしまう）」という場合までの両極端の間の、すべての場合を均した性能を評価できるので、もはや、「『現実』の『正解』が予測できる割合、Ｄ／（Ｃ＋Ｄ）」重視か、「予測の正確さ、Ｄ／（Ｂ＋Ｄ）」重視かで悩まなくて済む。だまってＡＵＣを計算し、もっとも値が大きくなる機械学習を選んでからそれを使ってサマーが運命の人かどうかを決めればいいのだ。

　ここではＡＵＣというわりといい感じの指標を導入したが、これですべてが解決したわけではない。ＡＵＣはあくまで平均的な性能であって、実際にはグラフ上のどこか１点を使うわけで、それが実効的な性能になってしまう。機械学習の性能そのものと、実際にどれくらい役に立つかの評価の間にギャップが生じるという問題がある。

　もし、みなさんが機械学習の論文を目にする機会があったら、とんでもなくたくさんの評価指標が書いてあって、その指標ごとにベストの機械学習の手法がリスト化されている表を目にすることになるだろう。「これじゃあ、どれがいいかわから

ない」と思うかもしれないが、実際、いまだどの指標を使う
のがベストかという論争に決着はついていないし、ここでは説
明しなかった評価指標はゴマンと存在する。

　いつか、僕ら（か僕らの子孫）はごく日常的に意思決定の
ツールを使うようになるだろう。未来にリメークされた
『（500）日のサマー』に出てくるトムはきっと、おもむろにスマホを取り出して、機械学習で自分とサマーの相性を推定し、それぞれの機械学習が与える相矛盾した答えを前に煩悶するに違いない。そういう時代になったら、きっと、僕らにはお気に入りの服やファーストフードがあるみたいに、お気に入りの機械学習があって、そのご託宣を参考に運命を決めるようになっているだろう。きっと「『現実』の『正解』が予測できる割合、D／（C＋D）」重視から「予測の正確さ、D／（B＋D）」重視まで、選り取り見取りの機械学習が手に入るようになっているだろうから。

第7章

深層学習

──謎に包まれた高性能

　さて、深層学習、である。白状するとこの本を書くと決めたとき、よっぽど深層学習の話はやめようかと思った。この本をここまで読まれた方はわかると思うのだが、「埋め込む」、「足し上げる」、「かけ合わせる」、「枝分かれする」、「次元をあげる」といった各章で述べられてきたことには、ある種の流れがある。いろいろな関係性の予測の方法を、徐々に難易度をあげながら難しいことに挑戦してきた流れが。最後のカーネルトリックあたりになると本当に数学抜きでは説明が難しい感じになる。

　だが、深層学習は違うのだ。なんでうまくいくのかちっともわからないし、どう拡張したら性能が上がるかもよくわからないし、うまくいったからうまくいったという以上のものではない。実際、深層学習の先祖であるニューラルネットワークという手法は、カーネルトリック全盛期には「終わった手法」として完全に窓際扱いで、機械学習の歴史に咲いたあだ花みたいな扱いだったのだ。そのくせ、アルゴリズムの説明自体はさして難しくない。なんでこんな単純なことをやっているのに性能だけいいのかよくわからない。だからこそ「はじめに」に述べたような画期的なブレークスルーが可能だったともいえるのだが。

　とにもかくにも、深層学習の祖先である一度は「終わった」ニューラルネットワークの歴史から簡単に紐解こう。

パーセプトロン ——深くない深層学習

　最初に深層学習（の原型）が提案されたときには、いまの
それとは似ても似つかないシンプルなものだった。名前も全然
違っていてパーセプトロンと呼ばれていた。

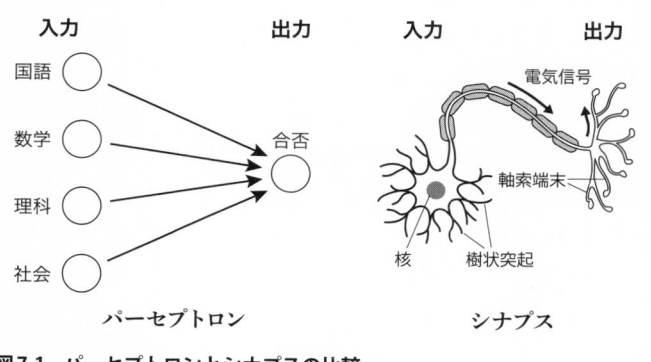

図7-1　パーセプトロンとシナプスの比較

　パーセプトロンの構造は単純で、ただの多入力一出力であ
る。合否判定の問題にたとえれば、複数の入試科目の成績を入
力し、合否を出力するだけの機械学習である。これで多入力を
まとめるところに工夫があるとまだ救われるのだが、そこは線
形回帰や線形判別と同じ比重和である（比重和は、適当な係
数をかけて足し算を作ることだったのを覚えているだろう
か）。唯一、工夫があったとすると、比重和を1と0に変換す
るところだが、これはロジスティック回帰でもやったことだ
（歴史的にはパーセプトロンの提案が先）。「これ、線形回帰と
同じじゃん」という正しいツッコミが入って、ほどなくパー

セプトロンのブームは去った。

　いまから思うと、なんでこんなものがはやったのかといぶかしいが、いろいろ理由はある。たとえば、このパーセプトロンは同じく多入力一出力の情報処理を行っているシナプスという神経細胞間の接合部と同じアーキテクチャーだ、と喧伝された。脳と同じ構造なのだから、なんかすばらしいことができるのでは、という期待が高まったし、実際、これはいまでいうところの生物（バイオ）に倣った計算法（インスパイアードコンピューティング）の走りみたいなもので斬新な感じがした。また実際、当時の非力な計算機としては、それまではできないことができていた（できているように見えた）のは事実だったと思う。いずれにせよ、ここで終わっていたら、いまの深層学習の隆盛はなかった。

ニューラルネットワーク ──パーセプトロンを重ねて

　パーセプトロンは線形回帰と同じじゃんというツッコミに研究者は漫然としていたわけでは当然なかった。すぐに対処法は提案された。それは「パーセプトロンを多段にする」という発想だ。織田信長が長篠（ながしの）の合戦で採用したという火縄銃の多段連射や、打ち上げロケット多段方式の例に見るまでもなく、単体では能力的に限界がある仕組みを重ねることで、できないことができるようになるというのは、技術革新ではよくある話だ。

　図7-2の右上の囲み部分にあるように、白丸を灰色の丸が取り囲むように配置されていると、空間を二分することしかでき

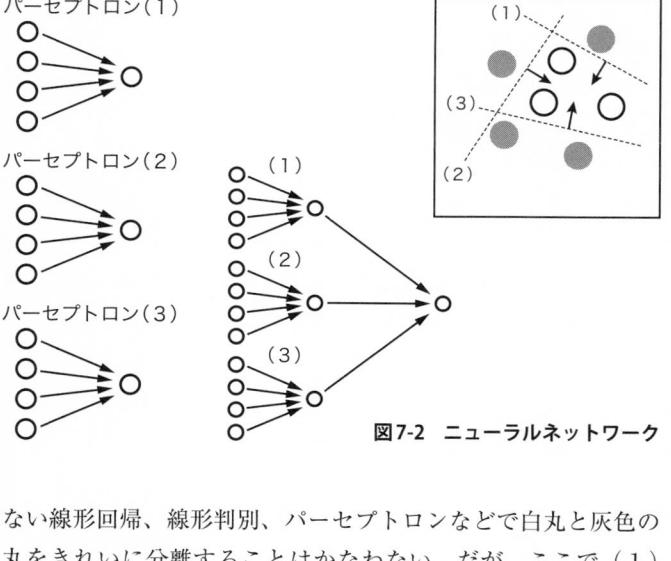

パーセプトロン（１）

パーセプトロン（２）

パーセプトロン（３）

図7-2　ニューラルネットワーク

ない線形回帰、線形判別、パーセプトロンなどで白丸と灰色の
丸をきれいに分離することはかなわない。だが、ここで（１）
から（３）のように３つのパーセプトロンを準備し、それら
がそれぞれ破線の両側で空間を二分するように作って、さらに
矢印の側では１を、逆側では０をとるようにしておく。そして
この（１）から（３）の出力を足すもう１個のパーセプトロ
ンを積み上げて、「出力が３以上だったら白丸の仲間、そうで
なければ灰色の丸の仲間」としておけば、パーセプトロンで
はできない判定が可能になる。すばらしいではないか。こうい
う多段のパーセプトロンをパーセプトロンと区別してニューラ
ルネットワークと呼んでいた。これ以上、詳しくは説明しない
が、この段をもっと多段にしたり、各段のパーセプトロンの数
を増やしたりすれば、いくらでも複雑なパターンに対応でき

る。すばらしい！

　パーセプトロンのころからこんなことはわかっていたはずだ
が、このニューラルネットワークが実用化されず、パーセプト
ロンのブームがいったん終わってしまったのには理由がある。
パーセプトロンは入力と出力が直接繋がっているから、学習が
しやすい。パーセプトロンの学習は空間をどう二分するか、と
いう問題にすぎず、図7-2でいえば破線をどの位置にどんな傾
きで置いたら白と灰色がうまいこと両側に分かれますか、とい
う問題だからだ。だが、ニューラルネットワークはそうはいか
ない。1段目のパーセプトロンがどんな出力を出すように作れ
ばいいかは、2段目のパーセプトロンの結果を見て判断しなく
てはいけない。だが、2段目のパーセプトロンが結果を出すに
は1段目ができていなくてはいけない。これではニワトリと卵
の関係になってしまい、「永遠にヒヨコが生まれない」。

　ニューラルネットワークが実用に供されるのに時間がかかっ
たのはこの問題の解決に時間を要したからだ。その方法は案外
単純だった。まず、適当な（めちゃくちゃな）ニューラルネ
ットワークで計算を始める。そうするとニューラルネットワー
クの出力は全然合わなくて間違いだらけになる。図7-2の場合
でいえば、白丸には全部3以上の数が出力されてほしいのに、
もっと小さい数が頻出する。そこで、2段目のパーセプトロン
を見て、値が3になるようにちょっとだけ「1段目のパーセ
プトロンの出力」と「ニューラルネットワークの出力」の関
係を変更する。するとその影響で1段目のパーセプトロンが目

指すべき値もちょっと変わるので、（１）から（３）の１段目のパーセプトロンの入力と出力の関係を変更する。こうやってできた新しいニューラルネットワークでまた結果を出し、ずれていたらまた直していく。

　この方法は、最終的な出力の間違いを参考に手前のパーセプトロンの構造を変えていくというやり方から、誤差逆伝播法と名付けられた。

　こう書くと難しそうだが、実際には『オール・ユー・ニード・イズ・キル』の主人公がやっていたことも本質的にはこれと同じだ。「死んだらリセット」という特殊能力がある彼は、ともかく、最初はなんでもいいからまず自分の判断で何かをする。当然、失敗して死ぬことになるので、リセットされ、また前回失敗した時点までは同じことを繰り返し、失敗したところでは別のことを試してみる。状況によっては失敗したところで何を試してもうまくいかない場合もあるだろう。その場合には、もっと前に戻って、手前のところで別のことを試してみるしかなくなる。この「失敗したところでいろいろ試す」というのが、図7-2のニューラルネットワークでいえば１段目のパーセプトロンの結果と最終的な出力の関数関係を最適化するプロセスに当たるし、何をやってもだめだから「ちょっと前の時間に戻って別のことを試してみる」というのは、図7-2の１段目のパーセプトロンの入力と出力の関係を弄（いじ）ってみるというのと同じだ。だから、誤差逆伝播法は「死んだらリセット」の能力がもし付与されたら人間が試みるであろうことと同じな

んだけど、現実には僕らにはそんな能力がないから、何をやっているのかわかりにくいだけなのだ。

　こんなふうに、ニューラルネットワークの学習である誤差逆伝播法は、「結果に近いところを重点的に調整するがそれでだめだったらもっと上流の出発点に近いところを調整する」という作業を自動的に数学的にやる枠組みだ（残念ながら具体的なやり方はまたまた理工系の大学生の1年程度の数学の知識がないと説明できない）。

　せっかくうまくいった（ように見えた）ニューラルネットワークの構築だったが、残念ながらブームは長くは続かなかった。まず、結局は空間を二分以外の入れ子状に分割できるという以上のことではなく、k近傍法や決定木でもできる課題にすぎない。また、ニューラルネットワークの後に出てきたカーネルトリックを使っても同じことは可能だ。図7-2にカーネルトリックを使って「奥行き」を付加して、白丸と灰色の丸が違う「高さ」に来るようにできれば、こんなややこしいことをしなくても二分することは可能だ。

　そして何よりもまずかったことに、ニューラルネットワークでは過学習を避けるのが難しかったのだ。パーセプトロンを多段にしていけばいくらでも細かい分割が可能だ。だが、あまり細かくすると、1区画に○が1つずつしか入っていない区分になってしまう。これではその特定のパターンでは100％の予測ができても、同系統の同じデータに使おうとしたら役に立たな

い。有り体にいえば、「一部のデータを隠して学習を行ってから隠したデータを戻してそれが当たるかどうかで予測の性能を判定する」という交差検定で、よい結果を出す「辞め時」の判定が難しかった。パーセプトロンの段数が少なすぎると、空間分割が足りなくて白丸と灰色の丸をうまく分けられないが、やりすぎると細かくなりすぎて、隠したデータを戻したときに違う相手が入っていた区画に戻る可能性が増えて予測性能が落ちてしまう。この「思いのほか予測性能を上げるのが難しかった」という弱点のために、ニューラルネットワークは一時的にカーネルトリックに取って代わられ、冬の時代を迎えることになってしまう。カーネルトリックは「掛け算を拡張する」というたった１個の拡張を行うだけなので、やたらと段数を増やして強引にうまくいかせてしまって過学習になるという問題が起きにくかったからだ（ほかにも、誤差逆伝播法は最適な予測モデルにたどり着くのが難しいが、カーネルトリックを使うと簡単にたどり着けるというもっと重要な差もあるのだが、その説明は難しいのでやめておく。過学習に弱いという欠点だけでも、ニューラルネットワークが捨て去られるには十分に致命的な欠点だったのだから）。

深層学習 ──遅れてきた奇跡のツール

　そして、ようやく深層学習が登場し、一大ブームが起きる。彗星のごとく深層学習が登場したのは2000年代後半。そして「はじめに」で紹介したようなぶっちぎりの高性能を複数の分野でたたき出した。

あとでガッカリさせるのは気の毒なので最初に言ってしまお
う。深層学習とニューラルネットワークの間には、パーセプト
ロンとニューラルネットワークの間にあったような本質的な違
いは何もない。正直いって、別の名前を付けたのはあまりにも
ダメダメな手法という印象が染みついてしまった、ニューラル
ネットワークという名称が嫌だったからだけじゃないかと勘繰
ってさえいる。「ニューラルネットワークでやっぱりうまくい
きました！」って言うより「深層学習っていう新しい革命的な
アルゴリズムを考えました！」って言ったほうが、「来る」も
のがある。逆にいえばニューラルネットワークの隆盛後にやっ
てきた冬の時代は、それほど長く、深く、つらい時代だったと
いうことだ。

図7-3は人工知能学会の設立から30年間の会員数の年次推

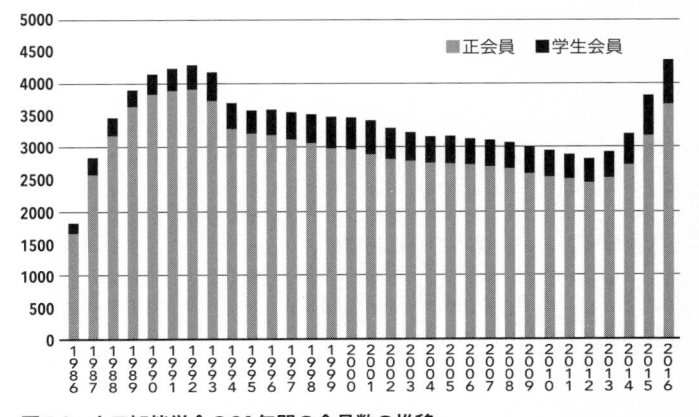

図7-3　人工知能学会の30年間の会員数の推移

移だ。いちいち指摘しなくてもどこでニューラルネットワークブームが終わったか一目瞭然だろう。けっして人工知能の研究＝ニューラルネットワークの研究、なわけではないが、影響は深刻だったことがうかがえる。そして、深層学習ブームがどこで起きたかもこのグラフを見ればあまりにも明らかだ。ここまでわかりやすいとちょっと笑ってしまう。

　深層学習とニューラルネットワークの違いは、誤解を恐れずにいってしまえばたった2つしかない。

　1　パーセプトロンの段数が飛躍的に増えた（100段とか）
　2　学習に使えるデータの数が飛躍的に増えた（数千万とか）

　この2つだ。「これだけ？」って思うかもしれない。そう、もし、ニューラルネットワークのブームが起きたとき、この2つがあったら、僕らはとっくの昔に深層学習の恩恵にあやかれていた可能性が高い。じゃあ、なぜ、当時この2つができなかったのか？

　1については計算機の性能の問題だ。誤差逆伝播法は収束が遅い、計算負荷の大きい方法だ。方法の特性上、最終的な結果から「手前」に遡ってこなくてはいけない。段数が増えれば、いちばん手前のパーセプトロンにまで影響が及ぶには長い長い時間がかかるだろうことは想像に難くない。『オール・ユー・ニード・イズ・キル』の主人公だって、やっとの思いでラスボスに相対したのに、何かの問題でものすごく手前まで戻って

やり直さないといけないとなったら、心が折れてしまうだろう（といっても、ゲームではラスボスを倒すのに必要なアイテムをごくごく初期に取り忘れていて最初っからやる羽目になることはままある。まあ、わざとそうなるように作ってあるゲームはクソゲーと呼ばれるわけだが）。1の問題はもともとゲーム用の高速描画に対応するために開発されたGPUというアーキテクチャーが転用できることが判明し、ゲーム機用の高速グラフィックボードを作っていた会社が深層学習用のマザーボードの生産に乗り換えて大儲けしているという謎現象も起きている。

　2については、そもそも、大量のデータを集めるのが難しかったという問題と、仮に大量のデータが集まっても計算機のメモリーに入りきらなかったという二重の問題があった。僕は（東大生じゃなかったけど）大学院の修士論文の研究で、当時東大に設置されていた世界最高速のスパコンを共同利用で使う恩恵に浴した。さて、みなさん、僕が修士の大学院生だった1986年ごろ（人工知能学会が設立されたころだ）の世界最高峰のスパコンに載っていたメモリーの大きさはどれくらいだとお考えだろうか？　驚くなかれ、なんと、たったの32MBである！　いまどき、みなさんが手にしているスマホにだって数十ギガのメモリー（SDカード）が実装されているだろう。1GBは1MBの約1000倍だから、僕が院生だった数十年前の世界最高峰のスパコンには、その1000分の1のメモリーしか搭載されていなかったのだ。いまどき、世界最高峰のスパコンには、みなさんのスマホの1000倍のメモリーが入っていてもおかしくない。つまり、この数十年でコンピュータのメモリーの

実装量は1000倍×1000倍＝100万倍に増大した、ということだ。157ページで述べた条件のうちの2がないことがどれだけ致命的か想像に難くないだろう。そして、仮にそれだけのメモリーがあったとしても、現在のような世界的なネットワーク網ができ、データの転送が高速にできるようになっていなかったとしたら、せっかく手に入れたそれだけの膨大なメモリーを埋め尽くすだけのデータを集めることはかなわなかっただろう。だから、157ページで述べた条件1と2がないことが本当に致命的なまでにニューラルネットワークが深層学習に進化することを妨げていたのは間違いないのだ。さて、そろそろ深層学習の具体的な内容に入っていこう。

CNN ── 画像処理のためのアーキテクチャー

　深層学習の応用、といったらみなさんがまず思い浮かべるのは画像処理だろう。最近、ボストン・ダイナミクス社というロボットのベンチャーが作成した人型ロボット・アトラスのデモ

映像が巷をにぎわしている。ロボットのデモ映像というとみなさんが思い浮かべるのはホンダのアシモだろう。子供然としたフォルムでしずしずと歩いたり走ったりするアシモの映像は、いかにもスマ

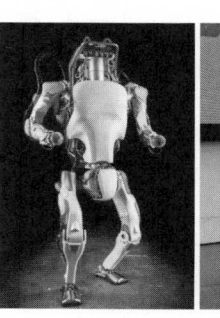

図7-4　アトラス（左）とアシモ（右）

ートな日本の技術の粋を凝らして作られましたという体で、文字どおり世界中から愛された。アトラスの動きはそれと全然異なる。動きがとんでもなく人間臭いのだ。バック転をやったり飛んだり跳ねたり、生身の人間でも普通の人には難しい離れ業をやってのける一方で、小突かれてよろけるさまなど人間そっくりだ。フレームがむき出しの筐体の中に、人間が入る余地がないことなど自明なのに、それでも、これは中に人間が入っているのではと錯覚する。このアトラスの動きは高度に制御されたものであるが、こういうことを日常環境で可能にするには、アトラスが目を持つ必要がある。画像を見てそれが何かを知る能力、難しい言葉でいうと一般物体認識能力である。

　あらかじめ、形状を入力してコンピュータにこの物体を画像から探しなさい、ということは前からできていた。3次元の形状からありえる2次元画像（影絵）を作ってパターンマッチングすれば済むからだ。だが、影絵にすぎない2次元の画像から3次元空間を再構成することはできていなかった。それが難しい問題で我々でさえ錯視という犠牲なしにはなしえなかったことはすでに第5章の「見えない次元は推定できるか？——視覚心理学」の節で説明したとおりだ。ある特定のアーキテクチャーの深層学習はこの一般物体認識という難題をやってのけることができる。それはCNN（Convolutional Neural Network ＝ 畳み込みニューラルネットワーク）という名前だ。

　CNNの原型は福島邦彦が1979年に脳の視覚野の実験にヒントを得て作ったネオコグニトロンだといわれている。そういう

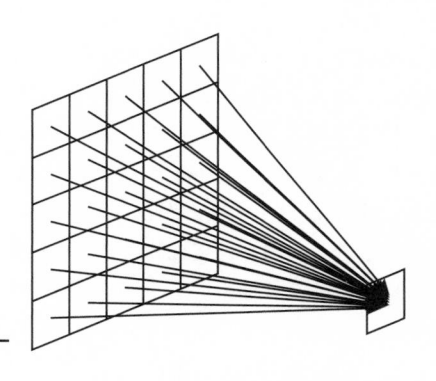

**図7-5
CNNのアーキテクチャー**

意味ではCNNもご多分に漏れず、生物に倣った計算法の走りだったわけだ。こんなところにも、いかにニューラルネットワークが機械学習の主流から外れたところで発展してきたかがうかがわれる。ネオコグニトロンが開発されたとき、残念ながら誤差逆伝播法は一般に知られていなかったので、福島はCNNの着想までにはいたらなかったが、学習という部分を除けばネオコグニトロンはほぼCNNそのものだ。

　CNNの基本は図7-5のようなパーセプトロンである。図がごちゃごちゃしていてわかりにくいとは思うのだが、要するに正方形（時には矩形）に並んだ隣接した画素を入力とするパーセプトロンだ。これを2通りに使いこなすことでCNNは一般物体認識という、深層学習以前にはどう逆立ちしてもできなかったことをこなしている。

　その使い方の一つは文字どおりの畳み込みである。仮に元の画像が画素数2160画素×1440画素だとしたら、そのすべての

画素を中心とした正方形の領域を入力としたパーセプトロンを適用し、出力を作って2160×1440の実数の表を作成する（端っこは正方形の一部が欠けてしまうが気にせずそこは入力が0だと思っていい）。入力をどう結合させて出力を作るかという比重は文字どおり「答えが正しくなるように」誤差逆伝播法で学習されるのだが、定性的なことをいうと、このパーセプトロンは局所的な「曲率」を計測する能力を持つ。

　ここでこれをちゃんと説明しようとすると大学生レベルの高等数学の知識が必要となるので、ごく簡単に説明する。2次元（平面）では難しいので1次元で説明しよう。

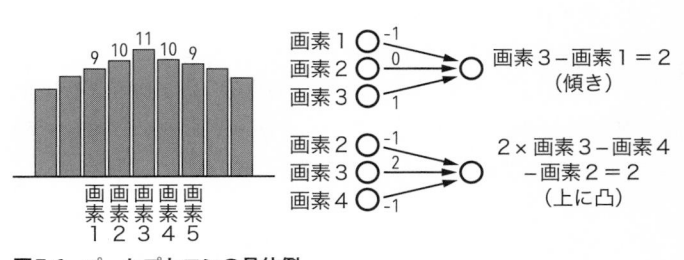

図7-6　パーセプトロンの具体例

　図7-6は横方向に並んでいる画素の値を描いたものである。たとえば、画素2を中心とする3入力のパーセプトロンを考える。画素を加え合わせる重みが画素1→画素2→画素3の順に－1、0、1だとすると、このパーセプトロンの出力は11（画素3の値）＋0×10（画素2の値）－9（画素1の値）＝2になるが、これは画素1から3に向けて色が濃くなっていることを表現する。もし、画素4を中心とした同じ重みのパーセプ

トロンを考えたら、出力は９（画素５の値）＋０×10（画素４の値）－11（画素３の値）＝－２となって負の値になりこれは画素３から５に向けて色が薄くなっていることを表現する。

　同様に、画素３を中心とする３入力のパーセプトロンを考えて、重みが－１、２、－１だとすると出力は－10（画素２の値）＋２×11（画素３の値）－10（画素４の値）＝２となる。この２は画素３が周囲に比べて色が濃い（上に凸）であることを示している。

　もし周囲に比べて色が薄い画素があったら出力が負になるので、これはこれで判定できる。だから、この図にあるようなパーセプトロンは注目する画素の周囲の状況（数学的にいえば微係数）の計算を可能にしている。実際にCNNを動かすときには個々の画素に複数のパーセプトロンを準備して「濃淡が減っているか？」「周囲に比べて色が濃いか？」などの情報を同時に計測できるようにCNNを作っておく。もちろん、この重みは人間が決めるものではなく、誤差逆伝播法で決まることなので、どんなパーセプトロンが選ばれるかはケースバイケースとなる。

　図7-5のパーセプトロンの使い方のその２は、プーリングと呼ばれている。畳み込み<ruby>（コンボリューション）</ruby>は個々の画素の周囲の状況を把握するためにパーセプトロンを使っていたから、畳み込み<ruby>（コンボリューション）</ruby>を行う前と行ったあとのトータルの入出力の個数は保存されている。

だが、プーリングの場合はそうではない。たとえば図7-5にある5×5のパーセプトロンでプーリングを行うと元が2160画素×1440画素の場合、出力はそれぞれを5で割った432×288に減ってしまう。つまり、難しい言葉でいうと粗視化というのだが、隣接した画素の平均をとったり最大値をとったりして解像度を落とす作業をする。この粗視化の目的は情報量を下げることだ。みなさんも経験があると思うが、たとえば、自分が写っているスナップショットの場合、256画素×256画素の写真と2160画素×1440画素の写真で視認性（自分が写っているかどうかの判断）はそんなに違わない。しかし、画素数でいえば約50分の1になっている。だったら、情報は少ないほうが機械学習には都合がいい。

図7-7は深層学習の提唱者の一人であるヒントン教授が2012年に画像認識コンテストでぶっちぎりのトップを獲得したときのAlexNetという深層学習のアーキテクチャーだ。AlexNetは画像認識（写真を入力して何が写っているかを当てるタスク）に使われ、従来の手法から考えたらあり得ないような高性能を突然たたき出して世間の度肝を抜いた。なかなか笑っちゃうほど複雑な構造なのがわかるだろう。ここからいちおう説明するが166ページの（＊）印まで読み飛ばしてもらっていい。

いちばん上が元画像で、224画素×224画素である。この半分を11×11のパーセプトロンで（全画素じゃなく）4つおきに畳み込みを計算し、55×55の数字の表を作る。幅（上から

2番目の直方体の左右方向の辺の長さ）と奥行き（上から2番目の直方体の右斜めの辺の長さ）が55の上から2番目の直方体に書いてある高さ（図の上下方向）の長さ96というのは、重みを変えて畳み込みを96通り作る、ということだ。次にこの96枚の55×55の数字の表を5×5のパーセプトロンで27×27の表にプーリングする。55×55の表を5×5で重複なくプーリングすると11×11になってしまうから、そこは27×27になるように重複を許しながらプーリングしたのだろう。3番目の直方体の高さが256であることから、このプーリングも256通り作ったことがわかる。あとは3×3のパーセプトロンでまた重複を許しながら畳み込みをし、13×13の表を作るという操作を2度繰り返す。それ

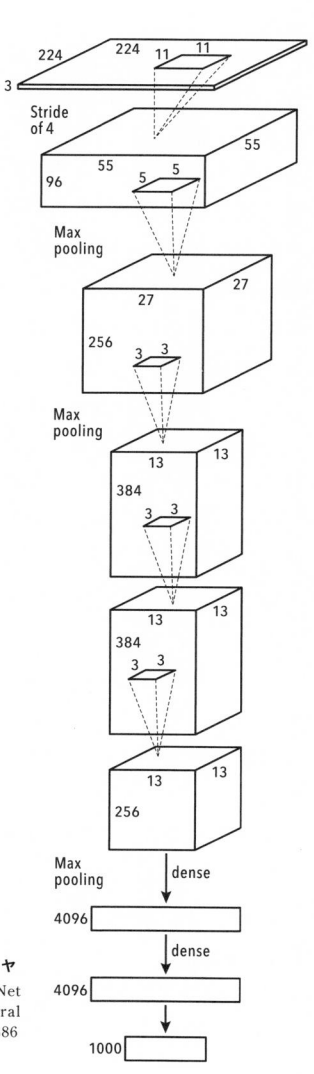

図7-7　AlexNetのアーキテクチャ

Krizhevsky A, Sutskever I, Hinton GE. ImageNet classification with deep convolutional neural networks. NeurIPS. 2012. DOI: 10.1145/3065386

ぞれ各点について384通り繰り返し、最後に3×3のパーセプ
トロンでプーリングを256回繰り返す。あとは全結合のパーセ
プトロンを3度（13×13×256個の数をまとめて1個にする畳
み込みを4096回繰り返して、4096個の数を作り、また、4096
個の数を1個にまとめる畳み込みを4096回行って4096個の数
を作り最後に4096個の数から1個の数にする畳み込みを1000
回）繰り返して、1000個の実数の値を出力して終わる。最後
の出力の数が1000個なのは1400万枚の画像が、何が写ってい
るかで1000通りに分類されているからで、この出力の1000個
のうち、いちばん値が大きいものが答えになるようにこの深層
学習はトレーニングされている。この中に含まれている膨大な
数のパーセプトロンの比重を誤差逆伝播法を使って1400万枚
以上といわれる全画像に対して学習を行うというのだから気が
遠くなる（実際には、ただの誤差逆伝播法じゃなく、いろい
ろ凝ったことをしているのだが、そこは省略する）。（＊）

　この説明で「なるほど！」と思った人はたぶん、誰もいな
いだろう。僕もわかってもらおうと思って書いた、というより
どれだけ複雑なことをしているかを実感してもらうために書い
ただけだ。パーセプトロンの重みを変えながら何度も計算して
224画素×224画素の画像から、最後の1000個の数字を作り、
この数字が写っている物体（たとえば、熊とか猫とか）が同
じ画像だったらみな同じ場所（3番目の数、とか111番目の
数、とか）が大きくなるように途中のパーセプトロンの重み
を変えた、ということなのだが、それでなんで「写っている
物体ごとに同じ結果が出るような変換ができるのか」がこの

説明ではちっともわからないことだろう。

　すごく正直にいってしまうと、実は、なんでうまくいくか誰にもわからない（もちろん、僕にも）。ただ、定性的なことは説明できるのでそれをちょっとだけ説明して終わろう。元の画像は1画素あたり1個の実数で表現されているから、全部で$224 \times 224 = 50176$個という膨大な数の実数で表現されている。逆にいえば50176個の実数を用意すればそれは必ずなんらかの画像になる。だが、適当に用意した画像では、ノイズのようなものしか写らないだろう。

　ここで、「人間が見て何かが写っている」と思える画像が持っている50176個の実数の組はすべての可能な実数の組のうち、どれくらいを占めているだろうか？　それは本当にわずかな領域にすぎない。なぜなら、50176個の実数を適当に準備したらほぼ100％無意味な映像にしかならないからだ。そこでちょっと考えてみよう。「人間が見て何かが写っている」画像が膨大な可能性のごくごく一部でしかないなら、うまいことこの数を足したり引いたりしたら、「似た画像はみな似た数になる」ような、都合がいい変換があるのではないだろうか？

　普通に考えたらそんな都合がいい変換ルールがあるわけはない、と思うだろう。だがAlexNetに入っているパーセプトロンの重みの種類数は本当にとんでもないほど膨大なのだ。そして、実際にやってみるとこのような変換は存在するのだろう。そうとしか思えない。だからこそ、「猫が写っている」画像は

しかるべく変換されて、1000個の数のうち猫に該当するもの（111番目とか）だけが大きな数であとはゼロであるような都合のいい1000個の数に変換されるのだろう、と思われる。本当かよ、と思うかもしれない。だが、やってみるとうまくいくらしい。それが残念ながら現状の（最良の）説明なのである。

　いまはもっと（ただでさえ複雑なAlexNetの構造をはるかに超えた）複雑なアーキテクチャーが提案されていて、深層学習による一般物体認識はすでに人間の認知力を超えているとさえいわれている。

　基本、この話はここまででCNNの説明は終わりなのだが（物足りない人はもっと専門的な本をお読みください！）、このあといろいろおもしろいことがわかったのでそれについて触れておくことにする。まず、パーセプトロンの最初の層の入力は元画像である。AlexNetの場合は最初の層は畳み込みみたいではあるが、それでも、パーセプトロンの中心に置かれた画素ごとに重みの値は違うはずだ。で、その重みの絶対値の和、みたいなものを見れば、画像のどの部分をどんな画像のときに重視しているかが判別できるはずだ。その結果、わかったことは深層学習が注目している特徴は人間が重要視しているものと必ずしも同じではない、という事実だ。たとえば、我々が顔を認識するには目があって鼻があって、みたいなことから入っていくと思うのだが、じゃあ、深層学習が「鼻」を個別に認識しているかというと全然そうではないみたいなのだ。考えてみれば「顔を認識する」というタスクのときに本当に「鼻」を

認識することが重要なのかどうかわからない。AlexNetはたった1000種類の画像を認識すればいいだけだ。1400万枚の画像に写っていないものは判別しなくていい。この1000個のカテゴリは、キーボード、マウス、鉛筆、多くの動物など、多岐にわたってはいるものの、この世に存在するカテゴリのほんの一部しかカバーしていない。1400万枚の写真といってもそれらに写っているのはこのたった1000個のカテゴリ「だけ」なのだ。そこに含まれないものが写っている写真にはAlexNetは無力である。たった1000個のカテゴリだけ認識すればいい、となると、「鼻」という顔が写っていなくては無用の長物になってしまう認識プロセスを、あえて避けるということはありうるだろう。

　AlexNetのほうが専門性が高く、汎用性が低い、ともいえる。だが、この専門性が高く汎用性が低いという特徴は何も深層学習に限った話ではなく、人間が作る技術はなんでもそうだ。たとえば、車は地上のほとんどの生物より速く走れるだろうが、それはまっ平らな道の場合であり、山道か何かになったらお手上げだ。だが、ほとんどの地上歩行生物は舗装された道も、山道も同じように歩けるはずだ。これも専門性が高く、汎用性が低いという好例にすぎない。

　いまでは深層学習はただ一般物体認識ができればいいという段階から「なぜ、この写真に猫が写っていると判断したか？」の説明能力の要求にまで至っているようだ。まだその話をここに書くのは早すぎる。10年後に続編を書く機会があったら考

えたいと思う。

ＢＥＲＴ ── すべては自然言語処理のために

　深層学習といわれて多くの人が画像処理の次に思い浮かべるのは機械翻訳じゃないだろうか？　英日あるいは日英の機械翻訳は長い間切望されてきたが、ほとんどの場合、「まったく使い物にならない」というのが通り相場だった。それが2017年の秋にリリースされたGoogle翻訳から忽然と「使える」ものになった。その陰の立て役者はGoogle翻訳に実装された深層学習だったという話だ。だから、ここで機械翻訳、というか自然言語処理に向いている深層学習のアーキテクチャーに触れても罰は当たらないだろう。

　深層学習の自然言語処理における最近のもっとも大きな進歩は、「はじめに」でも触れたBERTだといわれている。不幸なことにこのBERTはCNNなんか比較にならないほど複雑である。なぜなら、CNNが対象とする画像は、曲がりなりにも入力が数値だったのに対して、機械翻訳では入力も出力も文字だからだ。深層学習は文字を直接扱えないので、文字をまず数に直してから操作し、また、数から文字に戻すことが必要なのだ。なのでこの本に許された範囲内で、式を使わずに説明するのはほぼ不可能だ。だから、ちょっとここはCNN以上にアバウトな説明になることを許してほしい。

　まず、一般論として、深層学習で自然言語処理を行うために

は前述のとおり、文字を数字にしなくてはいけない。ここまでの説明でわかったように、深層学習は数しか扱えないからだ。

　文字を数字に直す、などというと「？」になってしまう読者も多いかもしれないが、もともと、コンピュータの内部ではすべての文字は数字で表現されている。我々がパソコンで「Ａ」というキーを押すとワープロにＡという文字が入力されるのは、「Ａ」というキーが押されたことで、コンピュータに「Ａ」に相当する数字が告げられ、そこでコンピュータがその数字に相当する「Ａ」という文字をワープロに入力しているからだ。「Ａ」という文字自体には何の意味もない。実際、明日から世界でいっせいに、コンピュータの中で「Ａ」を意味する数字と「Ｂ」を意味する数字が入れ替わっても、何の問題も起きないだろう。だから、この数字は本当にただのラベルにすぎないわけだ。

　だが、この数字を深層学習の入力に使うとなると事情は変わってくる。値が変わってしまったら、結果も変わってしまうからだ。「Ａ」を表す数字と「Ｂ」を表す数字を勝手に入れ替えたらめちゃくちゃになってしまう。どうせ、勝手に変えられないならちゃんと決めたほうがいい。自然言語処理を深層学習で行うときには、この「一度決めたら勝手に変えられない」という事実を逆手にとって、「どうせなら深層学習でなんらかのタスクをするのに、文字の数字表現を利用したとき、いい結果が出るように数字を決めよう！」と考えるわけだ。

　だが、この考え方は諸刃の剣だ。あんまり極端に目的に寄

171

りすぎた数字化をしてしまうと、きっと、用途ごとに数字化を考えないといけなくなる可能性がある。日本語を中国語に翻訳するときの漢字の数字化と、日本語を英語に翻訳するときの漢字の数字化が全然異なったのではやっかいだ。だが、日本語を英語に訳すときも、中国語に訳すときも、同じ数字化ということにすると、最初の「深層学習でなんらかのタスクをするのに、文字の数字表現を利用したとき、いい結果が出るように数字を決めよう！」が、うまくいかなくなってしまう恐れがある。どうすればいいか？

「はじめに」で紹介したBERTはこの問題を拍子抜けするほど簡単な方法で解決した。具体的には以下の２つのタスクがうまくいくように数字化すればいいことがわかったのだ。

1 文章の一部をわざと空欄にしてここを穴埋めする。
2 ２つの文章が、続いている文章であるかどうかを判定する。

　たったこれだけのタスクを実行するように数字化するだけで、非常に汎用性の高い、どんな自然言語処理（内容理解、問題解答、機械翻訳など）でも従来の方法に比べて圧倒的にすばらしい性能が発揮されることがわかったのだ。1と2は、文字が数字に直ってさえいれば、それぞれ「間が欠けている数字の列を埋める」とか「連続した数字の列が、本当に連続した数字かどうか当てる」という問題なので、答えさえしっかり与えられていれば、これまで説明してきた機械学習の枠組みで容易に

扱える問題なのは想像に難くないだろう（もちろん、機械学習の一種である、深層学習でも扱えるのは明らかだろう）。

　有り体にいって「どうしてこの２つのタスクを果たすように数字化したら、なんでもうまくいくようになるのか？」は、まったくもって不明である。じゃあ、なんでこんなことを考えついたかというと、たぶん、いろいろな意味で従来のやり方に比べて、数字化が容易なさまざまな工夫が可能だったからだろう。まず、従来の数字化は「文中の単語の順序」を気にしていた。どの単語がどの単語の後に来るかということは重要な情報だ。たとえば、「人形を焼く」という文を翻訳するとき「パンを焼く」の「焼く」なのか、「家を焼く」の「焼く」なのかわからないと正しい翻訳ができない。日本語では同じ「焼く」だが、英語では前者はbake、後者はburnである。だから、文字を数字化するときに「人形」の後の「焼く」とほかの「焼く」を区別しておく必要があった。だが、そうなると、文章を先頭から単語の順番に数字化していかないといけないので、うんと時間がかかることになる。また、英語と日本語では単語の順序が違うから（日本語では「家を焼く」だが、英語の語順だと「焼く」「家を」という順番）、この対応関係もいちいち考えないといけない。だが、穴埋め問題にしてしまえば、最初っから周囲にどんな単語があるかを意識した数字化（つまり、家を焼くの「焼く」と、人形を焼くの「焼く」には最初から別の数字が割り当てられる）になっているから順番は問題ない。また、日本語と英語で語順が変わっても「家を焼く」という意味で「家」と「焼く」が結びついていれば、問題なく

翻訳できる。

　こういう考え方は従来もなかったことはないのだが、BERT は思い切って、1つの文章の中の単語間の関連だけを気にして、文章を跨いだ単語間の関連は無視し、代わりに「2　2つの文章が、続いている文章であるかどうかを判定する」のタスクを付け加えるとしたことが、どうやら奏功したようだ。文章間の単語の関係を考えるのと文章の中の単語の関係だけを考えるのでは、作業量がまったく異なる（もちろん、一文一文の文章内部の単語の関係だけを考えるほうが、すべての文章に跨がっての関連を考えるより圧倒的に作業量は少ない）。

　実際に、こういう関連性込みで数字化するにはどういう手順を踏むのか、というのはとっても難しい話なのだが、さすがにそれは説明無理なので勘弁してほしい。おそらく、BERTを考えた人たちはこういう学習のしやすさに惹かれてやってみたら、思わぬヒットを放ってしまったという感じなのではないだろうか？

　BERTには欠点もあって、それは、穴埋め練習のときに1割くらいしか単語を隠せないので、すべての単語を平等にうまく数字化するには、隠す単語を変えて同じ文章を何回も何回も試す必要があり、学習にとんでもなく長い時間がかかる、ということだ。ただ、一度数字化してしまえばそれを何にでも使えることがわかっているので、誰かがすごくがんばって数字化したものを公開してくれれば、みんながそれを使える。実際、いまは学習済みのBERTモデルを使って、いろんなことを試す

のが大はやりだ。

　たとえば、BERTを提案した論文では、文章を入力して書かれている内容で何通りかのパターンに分ける、という問題が試されている。入力が数字で、出力が数クラスのどれかを答える、という問題なので、これが「ニューラルネットワーク——パーセプトロンを重ねて」で説明したニューラルネットワークによる単純な分類問題として扱えるのは想像に難くないだろう。BERTで作られた数字化から出発して、さらにこの分類問題に最適になるように数字化の値を微調整するだけで、BERTは従来の方法にぶっちぎりの大差（といっても値にしたら数パーセントの差だが、この分野では大差である）をつけた。これが出発点になって「はじめに」で紹介した、「東ロボプロジェクトの表向きの看板を下ろす羽目になった長文読解問題」があっさり解決し（センター試験の長文読解問題とはまさに文章を読んでその文章にもっとも当てはまる選択肢を選ぶというクラス分類問題だ）、センター試験（実際にはBERTに更にいくつかの改善は加えられている）で200点満点中185点とれる驚異の深層学習モデルが出来上がったわけだ。

　思えば、画像処理のほうは畳み込みという画像処理に適したアーキテクチャーが、ネオコグニトロンという形ではるか昔にすでにわかっていたから、深層学習というフレームが提案された結果、瞬く間に応用が広がった。これに対して、自然言語処理のほうはもちろん、BERT以前にも深層学習を導入したというだけで、従来の機械翻訳では太刀打ちできないくらい飛躍

的な性能の向上はあった（実際、前述の2017年の飛躍的な機械翻訳の向上には、時期から考えてBERTは関係していない）ものの、言語に最適の深層学習の使い方が実はあまりよくわかっていなかった。BERTが出てくるまでの深層学習の使い方は、基本的に単語の並び順に注目した「過去からの未来予測」のための深層学習のアーキテクチャーの援用だった（たとえば、「僕は君が……」と続いたら次の言葉はかなりの確率で「スキ」か「キライ」だろうから、時系列予測を自然言語処理に援用しようというのはまったく間違った発想ではないだろう）。だが、わかってみれば、単語の順序はどうでもよくって、むしろ、文中のどの単語とどの単語が関係しているかという関係性のほうが重要で、それをもっともよく表現する数字化をすると、深層学習の性能がすごくよくなる、という結果だった。

　ネオコグニトロンは、脳の視覚野の研究から構想された生物（バイオ）に倣った計算法（インスパイアードコンピューティング）だったけれど、今度はBERTのほうから人間の脳内の言語理解構造が明らかにするという逆方向の研究が可能になるかもしれない。今後の展開にはいろいろ期待できそうである。逆にいえば、人間は言語理解みたいなわりと基礎的なことでも、自分たちがどうやって理解しているかがよくわかっていない、ということなのかもしれない。

モンテカルロツリー（決定木）サーチ ── ゲームを変えた革命的手法

　個人的なことをいえば、機械翻訳や一般物体認識で機械学習が人間をぶっちぎったことよりも、囲碁や将棋で人間が敗北し

たほうが僕にはインパクトは大きかった。どっちかというと機械翻訳や一般物体認識のほうが遅々として進まず、コンピュータ将棋や囲碁のほうが伝統的なやり方でうまくいきそうな気がしていたからだ。伝統的＝論理的なアプローチ、ということだ。機械翻訳や一般物体認識は問題の境界が見えない。翻訳なんて言葉自体が時代とともに変わってしまうし、そもそも一般物体認識なんて主観の極致だ。机の上にコップが置いてあったらそれはコップと机という２つのものだ、なんて人間が決めただけだ。「何を言ってる、机とコップは別の物体じゃないか？」と言う人もいるかもしれない。じゃあ、コップの底にエポキシ樹脂の接着剤をつけて机と接着してしまったら？　おそらくコップを破壊しなくては机とコップはもはや分離できないだろう。でも、依然としてそれは机とコップなのだ（少なくとも人間にとっては）。

　囲碁や将棋はそうではない。俗に完全情報ゲームと呼ばれる部類で、ルールは完全に決まっている。本当は勝敗も決まっている（どう打てば勝つかは決まっている）。実際、この手のゲームでもっと簡単なオセロのほうはもう、どうすれば勝てるか決まってしまっている。将棋や囲碁でそれができないのは単純に可能な手の数が多すぎるからだ。

　なのに、このきわめて論理的に決まっているはずの囲碁や将棋さえ、論理の欠片も認識しないはずの深層学習が人間のはるか上に立ってしまった衝撃はけっこう、計り知れない。論理の極致ともいえる「将棋」や「囲碁」が、論理の一片すら解す

ことのないコンピュータの深層学習によって、たやすく攻略されてしまったというのだから。

　この衝撃的な結果をもたらした深層学習は当然のごとく、畳み込みを使った深層学習とも、はたまたBERTを使った深層学習とも全然違うものだ。その名前はモンテカルロツリーサーチと呼ばれている。

　決定木は、サマーが運命の人かどうか決めるのに使えたように、「次はどんな手を指すべきか？」という問題にも使うことができる。モンテカルロツリーのモンテカルロは、「確率的な」程度の意味である。サマーが運命の人かどうか判別するとき、決定木の場合は「サマーの１ヵ月の電話時間が１時間以上かどうか」でサマーが「運命の人」かどうかはしっかり決まっていた。だが、それはあくまで僕らが完全に答えを知っているからだ。現実の場合はそこは本当には確率的にしか決まっていない。「サマーの電話時間が月１時間未満なら運命の人度は85％」みたいな感じだ。

　モンテカルロツリーサーチを囲碁や将棋に使うには、まず、正解のセットが必要だ。正解は過去の棋譜（歴代の名人が指した棋譜そのものを正解にする）か、または、コンピュータの自己対戦で最終的に勝った棋譜を使う。

　図7-8は実際にモンテカルロツリーサーチを実行している様子だ。盤面（１）がいまの手番で（２）から（５）が次に可

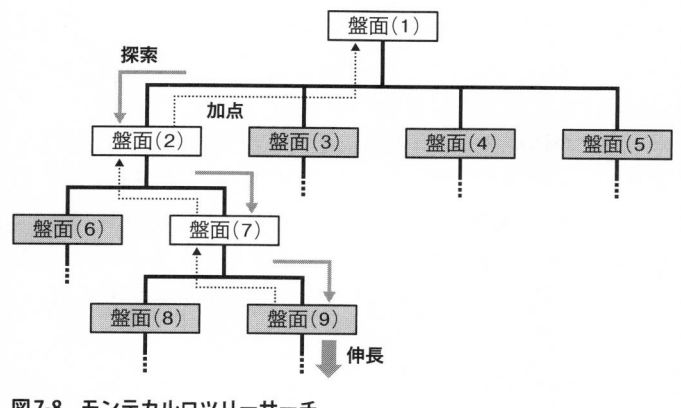

図7-8　モンテカルロツリーサーチ

能な指し手で到達できる盤面。盤面（2）から一手でいける
のは（6）と（7）、（7）からいけるのは（8）と（9）。灰
色の盤面が現在考えている最後の盤面でこの先にはもちろん手
番が続いているが、ここでは考えておらず、ただ、その先の勝
ち負けに応じて灰色の盤面には点数がついている。盤面（1）
からサイコロを振って手番を選んで指していき、灰色の盤面の
どれかに到達したらその点数を途中の盤面に足しながら、盤面
（1）に戻る。これを何度も繰り返すと、いい手が先にある盤
面への道筋の点数が上がっていくので、サイコロを振るとき、
すでによい点数がついている指し手のほうにいきやすくなるよ
うにサイコロを振っていく。灰色の盤面のどれか、たとえば盤
面（9）が集中的に選ばれるようになったら、盤面（9）の
次の指し手も考えてモンテカルロツリーを延ばしていく。この
操作を十分繰り返して、ある程度先のほうまでモンテカルロツ

リーが完成したら、最後にもう一回サイコロを振って、次の手を（2）から（5）の中から選んで指す（この図の場合は盤面（2）が選ばれる可能性が高いが、サイコロを振るのでほかの盤面が選ばれることもある）。次の手番のときはモンテカルロツリーをリセットし、いまの盤面と一手先の盤面だけの〈つまり、図7-8でいえば盤面（1）〜（5）だけがあって、（2）〜（5）が灰色に塗られている〉1段のモンテカルロツリーから出発して徐々にツリーを成長させていく手順を繰り返す。

　これだと深層学習の出番がどこにもない感じがするが、この灰色の盤面についている点数の推定に深層学習が使われる。実際に灰色の盤面にはその先にある勝敗に基づいて点数がついているといっても、この灰色の盤面とまったく同じ盤面が過去の棋譜や自己対戦で作った勝ち負けがわかっている棋譜の中にあるとは限らない。そこで、すでに持っている過去の棋譜か、自己対戦で作った勝ちの棋譜を参照して、よく似た盤面から妥当なスコアを作るという学習の部分を深層学習が担う。深層学習の予想どおりのスコアと勝ち負けが一致していればよいし、ダメだったらスコアの付け方を変える。

　ちょっと考えればわかると思うが、この場合、深層学習の改善は、十分な回数の勝負が行われ、勝ち負けが決まらないと行えない。あくまで「勝ち負けが最大になるように各盤面についているスコアを予測する」というタスクだからだ。だから、答えを出せばすぐに予測の正誤が判定できて、深層学習の改善ができる機械翻訳や一般物体認識とは異なって、学習に長い長

い時間がかかる。そのために自己対戦を非常に何度も何度も繰り返す。

　ここまで読んできた読者は気づいたかもしれないが、このモンテカルロツリーサーチは、機械翻訳や一般物体認識のようなはっきりとした正解のあるものではないので、区別して強化学習と呼ばれている。

＊

　ここまで、一般物体認識、自然言語処理、そしてゲームと異なった３つのタスクに対してどんなふうに深層学習が使われているか見てきた。明らかに、まったく異なった使われ方をしていることがわかるだろう。画像処理に基づく一般物体認識は、かなり「素直」な使われ方でわりと何をやっているかわかりやすい。一方で自然言語処理は「問題に適したように文章を数字化する」というところに深層学習は使われていて一般的な機械学習の使われ方とはかけ離れているが、それでも、深層学習をがっつり使っているのは間違いない。これらに比べると、ゲームへの応用の場合は、主役はあくまでモンテカルロツリーサーチで深層学習は最後の盤面の点数付きの最適化のところでちょっと使われているだけである。が、一方、この深層学習による点数付きの最適化なしには、コンピュータ囲碁が人類最強プロ棋士に勝つ、みたいな快挙はけっして成し遂げられなかったのもまた事実である。

　各問題に使われている深層学習はいろいろなものに革命的な進歩をもたらしてきたが、一方で、一個一個の問題ごとに「使

い方」を考えないと性能が引き出せないわけだ。それが畳み込みや、BERTやモンテカルロツリーサーチである。

　深層学習はなんでもできる魔法のツールというより、高性能エンジンのようなものだ。エンジンはエンジンだけでは何の役にも立たないが、プロペラを付ければ空を飛べ、タイヤを付ければ、地を駆けることがかない、そして、発電機に繋げば、闇夜を明々と照らすことができるだろう。それと同じような意味で、深層学習をどう使うかはあくまで我々人間が工夫して考えていかなくてはならない。深層学習の力を引き出すも引き出さないもすべて我々人類の手腕にかかっているのだ。さて、あなたはこの深層学習という機械学習界に彗星のごとく現れた高性能エンジンをどんな課題に使ってみたいだろうか？

GAN ── 学習から創造へ

　深層学習は従来の伝統的な機械学習とはかなり違う使い方もされていることが、ここまで読んできた読者は多かれ少なかれ実感できたのではないかと期待する。だが、それでも広義の「課題解決」型のツールであったことには変わりはないだろう。だが、いまや深層学習は課題解決を超えて「創造」の域にまでその版図を広げつつある。これは従来の機械学習と一線を画する出来事だろう。

　この創造性を象徴するもっともよく知られた例がGAN（敵対的生成ネットワーク）である。GANの仕組みをざっくり描

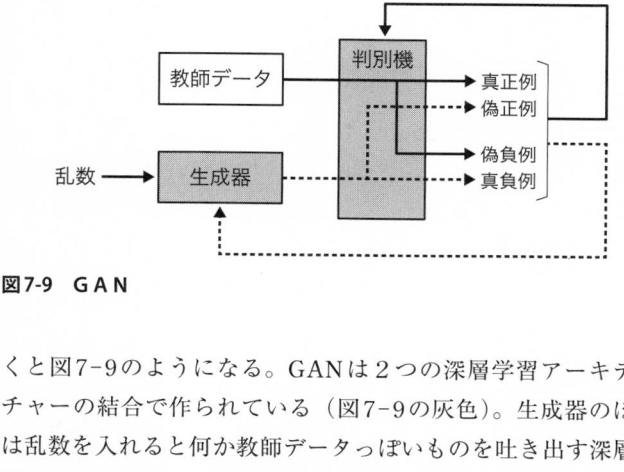

図7-9　ＧＡＮ

くと図7-9のようになる。ＧＡＮは２つの深層学習アーキテク
チャーの結合で作られている（図7-9の灰色）。生成器のほう
は乱数を入れると何か教師データっぽいものを吐き出す深層学
習アーキテクチャーである。一方、判別機は教師データと生成
器が作成する疑似教師データを見分ける深層学習である。最初
は生成器が作るものは教師データと似ても似つかないものであ
るが、生成器は学習を重ねて、判別機が教師データと見まごう
ものを作る力を徐々に身に付けていく。生成器の性能が上がる
ほど、判別機は性能を上げないといけないし、逆に、判別機の
性能が上がれば、生成器が生成する疑似教師データも、教師デー
タに近しいものでなくてはならない。生成器はどんな乱数が
入ってきても教師データに似た疑似教師データを出力しないと
いけないので、教師データを丸パクリしてまったく同じものを
作るというわけにはいかない。結果、教師データには含まれて
いないが、現実に存在する教師データを予測して生成する機能
を目指すことになる。これが実現してしまえば、判別機にはな
すすべがなくなり、ここでプロセスが終了する。あとは生成器

に乱数を与えて生成させれば、疑似教師データが大量に作成される。

　ここまで読んできた読者のみなさんなら、深層学習はただの機械学習というより、何かを入力して望ましい何かを作りだす変換器のようなものだということをすでにおわかりいただいていることと思う。乱数が入ってきたら判別機をだますような出力をするように誤差逆伝播法で重みを調整することは原理的には可能なはずだ。

　図7-10は教師データとしてアニメに出てくる美少女キャラを与えて、GANを走らせて作った生成器が出力した画像だ。このいかにもどこにでもありそ

図7-10　GANが生成した美少女イラスト
（https://waifulabs.comで作成したイラストを使用）

うなキャラデザインはGANの完全なオリジナルであり、これと同じものはこの世に二つと存在しない。左の画像は慈母的に、右の画像は小悪魔風に微笑んでいるが、これを逆にして左を小悪魔風に、右を慈母的に微笑ませることだって簡単にできる。

　実際のところ、人々の耳目を集めそうな技術はGAN周りでたくさん出てきている。たとえば、ディープフェイクというのは、実在の人物を描いたありえない動画を作ってしまう技術だ。この技術を使うと、ホームビデオで撮影したあなたの顔を

有名アイドルと入れ替えるのは朝飯前だ。しかも、お面みたいに顔が張り付いているだけじゃなくて、ちゃんと笑ったり泣いたりする。この技術は俗にサイクルGANと呼ばれる一連の技術でGANを2個組み合わせたような構造になっている。ここでは犬が写っている画像の犬の部分を猫に置き換えるサイクルGANについて考えてみよう。まずSTART①と書いてある「犬が写った写真A」から出発する。この写真Aは「犬の部分を猫に変える」変換機の深層学習で、「猫が写った写真A'」に変換される。変換された画像A'は猫の写真の判別機にかけられる。判別機と変換機が競いあうのは同じで、入力が乱数であることを除くと、基本的にはこれはGANにほかならない。一方、別のSTART②では「猫が写った写真B」から出発する

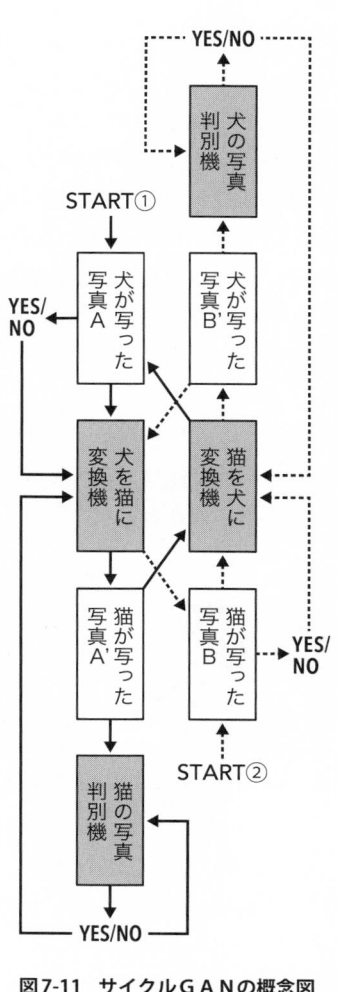

図7-11 サイクルGANの概念図

185

「猫の部分を犬に変える」変換機と、それによって作られた「犬が写った写真B'」および「犬の写真判別機」という犬と猫を逆転させたGANが存在する。だが、このままでは「犬と猫を入れ替える」以外の変換（たとえば背景の改変）が起きてしまう可能性がある。そこで「猫が写った写真A'」は反対側のGANの一部である「猫の部分を犬に変える」変換機にかけたとき、元の「犬が写った写真A」になることを要求され、一方、「犬が写った写真B'」は反対側のGANの一部である「犬の部分を猫に変える」変換機にかけたとき、元の「猫が写った写真B」になることを要求される。このような「猫と犬の交換」を2度行うと元に戻るという高度な要求の範囲内で、判別機をだませる画像を作れという要求をされるわけだ。こんな程度のことで本当に犬と猫が入れ替わっただけの画像が作れるのか？

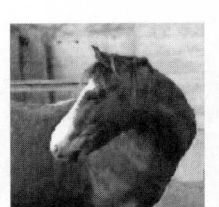

図7-12　サイクルＧＡＮによる馬（左）からシマウマ（中央）への置き換えと元の画像の再構成（右）

　図7-12は左から馬の画像、馬をシマウマにした画像、元に戻した画像、の例である。本当に馬がシマウマに置き換わっていることがわかるだろう。

　ここではお見せできないのが残念だが、「男性の動画を入れ

ると女性の動画になる」とかその手の画像変換は山のように
ある。近い将来、動画というものは証拠としては無意味になる
だろう、とさえいわれている。

　GANの技術は人間の創造性に切り込むという意味で本当に
脅威になりうる。囲碁や将棋やチェスで人間が敗北してしまっ
たように、映像の分野でも人間が深層学習に勝てなくなる日は
そう遠くないのかもしれない。

深層学習はなぜ高性能なのか？

　この本の中では深層学習を扱ったこの章はダントツでわかり
にくかったと思う。その理由は単純だ。ほかの機械学習みたい
に、「こういうときにはうまくいく」とか「こういう理由でほ
かの機械学習でできないことができる」みたいなことが事実
上何もわかっていないからだ。だいたい、パラメーターの数が
増えたら、過学習が起きやすく、汎化性能は落ちるはずだ。そ
れがもとでニューラルネットワークは廃れたのだから。だが、
研究をすればするほど、複雑なアーキテクチャーの深層学習を
それを凌駕する膨大なデータで単純に学習させれば、必ずよい
結果が出る、ということがはっきりしつつある。

　どんなときに深層学習が線形回帰や線形判別みたいなもので
はできないことをできるか、ということもあまりわかっていな
い。数少ない成果としては、学習セットがパラメーターに対し
て不連続な場合、つまり、隣り合っているはずの学習データに

大きなギャップがあるときには、深層学習が線形手法に勝てるということが証明されているくらいだ。だが、もちろん、現実の場合に、深層学習がぶっちぎりの勝利を収めている分野で、このようなデータセットにおける不連続性が本当にあるのか、みたいな研究はなされていないっぽい。

　実際のところ、深層学習はもはや機械学習の一部といっていいのかどうか怪しげなレベルに達しつつあると僕は思っている。たまたま、一般物体認識とか、機械翻訳とか、ゲームなど、従来機械学習が重要とされてきた課題では高性能を示しているだけで、たとえばBERTにおける深層学習の使われ方とか、GANにおける深層学習の使われ方はもはや、従来の機械学習を超えつつある感じがする。

　10年後にこの本の続編を書くことになったとしたら、そのときはこんな文章が含まれているかもしれない。「10年前にこの本の基になる本を書いたとき、まだ、深層学習は機械学習の一分野といわれていた。嘘だろう、と思うかもしれない。だが、当時それを疑っていた人はごく少数だった」みたいな。

量子計算機
——人智を超えた神の機械

　量子計算機、という名前には半端ない違和感を抱かざるを得ない。なぜか。だって、いまのいわゆるコンピュータは全部、半導体でできているのだ。半導体、というのは量子力学の権化で、量子力学がなければ半導体はなく、したがって、コンピュータはない。いまさら、量子計算機ってなんだよ、と思ってしまう。

　そのココロはこうだ。「紐と棒で等価回路を作れない」。いまのコンピュータは確かに「半導体」というハードウェアの上に乗っているが、最初の「電子計算機」は真空管でできていたし、電子計算機ができる前の計算機は機械式だった。だいたいからして、計算機の巨大メーカーとして有名なIBMはもともと、カードを整理する機械のメーカーだった。そもそも、いわゆるプログラム可能な計算機の構想として世界初といわれるバベッジの階差機関は量子どころか電気さえ怪しい時代に構想されたため、どっちかというと手動のからくり細工という趣だ。つまり、いまのコンピュータは「たまたま」半導体で作られているだけであり、もし、半導体より速く動作し、小さく設計できるハードが発見されたら一瞬でそっちに乗り換えられてしまうだろう。

　だが、量子計算機は違う。その動作原理が量子力学そのもの

なので量子力学から乗り換えることなんてできない。それでは量子計算機は「普通の計算機」とどう違うのか？　誤解をおそれずに簡単に表現すると「１×１＝１」ではない、ということだ。じゃあ、どうなるのか？　量子計算機では（１，２）という２つの数の組を（３，４）という２つの数の組とかけると（３，４，６，８）という４つの数字が戻ってくる。これは何かというと（１×３，１×４，２×３，２×４）、つまり、２つの数字をお互いにかけ合わせた数が戻ってくる。

　つまり、九九の表を作りたかったら量子計算機では（１，２，３，４，５，６，７，８，９）を２回かければ、９×９＝81個の数字が戻ってきて、それが１×１から９×９までの81個の数字に対応しているのだ。すばらしい！　量子計算機万々歳だ！

　だが、この世はノーフリーランチ_{無料の昼飯はない}である。この計算には大きな問題がある。量子計算で僕らが手にすることができるのは「波動関数」という名の一種の「情報」だけである。「１から９までの数が入っている」という情報が内包された波動関数と波動関数どうしをかけ合わせると、出来上がった波動関数には１×１から９×９までの情報が含まれていることはわかる。だが、そこから個々の計算、つまり、九九の表を埋めるための81個の数をどうやって取り出せばいいかわからないのだ。「計算が実際に実行されているのに、答えが取り出せないとはどういうことか？」と思うかもしれない。だが、日常的にだって「確かに実行はされているが結果はわからない」という

ことはけっこうあるだろう。『指輪物語』という世界的に有名なファンタジーがある。これはいまのいわゆる剣と魔法の世界を舞台とする冒険譚のご先祖様みたいな作品で、『ロード・オブ・ザ・リング』というタイトルで大々的に映画化されたので、内容を知っている人も多いと思う。こんなふうに書くとさぞかし勇ましい話なのかと思うかもしれないが、内容はきわめて地味である。まともに戦ったら負け必至の悪のラスボスがいる。唯一の勝機は、たまたま正義の側が手にしていた悪のラスボスの力の源泉である指輪を破壊すること。だが、それを破壊するには、ラスボスの本拠に行って、指輪を作るときに使った火山の熱を使わないといけない。ノコノコ出かけて途中で見つかって指輪を奪われたらどうする？ 侃々諤々の協議の結果、誰にも注目されない、身体の小さいホビット族の若者が、ひそかに火山まで行って指輪を始末する役目を仰せつかる。いかにも、な勇者が持っていったら目立ってしょうがなく、絶対感づかれるからだ。途中までホビットには名だたる勇者が護衛に付いていたもののやっぱり目立ってしまい、最後にホビットはお供の者２人との苦しい旅路を強いられる。正義の側はホビットの安否を探ることもできない（探ったりしたら悪のラスボスに目を付けられて、あっという間に露見しないとも限らない）。かくして、正義の側は小さくて何の力もないホビットが火山に指輪を投げ込む瞬間をひたすら待ちながら戦うしかない。ひょっとしたらホビットはもう死んでしまって、指輪が破壊される望みなどすでに潰えているかもしれない。それでも安否を確かめに行くことはすべてを台なしにする可能性があるからできない。

　量子計算機の「確かに計算はされているが中身がわからない」というのはこれと同じような状況だ。普通「見る」ことは中身に影響を与えない。恥ずかしい姿を見られてしまって激怒するヒロインに「減るもんじゃなし」と（男の）主人公がツッコむのはアニメやライトノベルのお約束だが、量子計算機はそうはいかない。ホビットの安否を確かめることが、その努力を無にしてしまうのと同じように、九九の結果が全部入っているはずの波動関数の「どこ」に望みの結果、たとえば、２×２の結果が入っているかを確認すると、波動関数は「壊れて」中身がなくなってしまう。

　見るだけで中身が壊れる、というとなんだかオカルトじみた話だが、そもそも「見たって減るもんじゃない」というのは本当は正しくない。見る対象に何の影響も与えずに何かを見ることなどできない。「なに言ってんだ、こいつ」とか言ってはいけない。なぜなら、見る対象に「光」を当てないと見ることなどできないからだ。「光は当てるんじゃなくて最初から当たっているのでは？」と思うかもしれない。だが、量子力学で扱う波動関数は、基本的に原子のサイズのミクロの世界の話なので、光が当たっただけでも壊れてしまうくらい繊細だ。だから、九九の計算の波動関数のどこに２×２の答えが入っているか見ることはできない。

　「それじゃあ、何の役にも立たない」と思うかもしれない。だが、逆に、この性質を使って、すでに量子計算機を実用化している分野がある。それは暗号である。

量子暗号 —— 盗聴不可能な究極の暗号

「計算はできるけど結果を取り出そうとすると壊れてしまう」という性質を逆手にとった量子計算機は量子暗号と呼ばれている。何かを計算するわけじゃないのでこれを量子計算機に含めるのはなんか変な気がするが、量子暗号は量子計算機の一分野とされている。それはたぶん、（1，2）と（1，2）をかけると（1×1，1×2，2×1，2×2）と4つの計算が交じった状態ができる、というところまでは同じだからだろう。

　Aさんが B さんに1か2の数の列を送りたいとする。この1と2の数の羅列を誰にも見られないように送れたらそれを使って暗号を作る。よくパソコンでワードや圧縮ソフトにパスワードを入れて他人が開けないようにすることがあるが、あのパスワードを送っていると思えばいい。その意味では量子暗号というのは量子力学を使った暗号ではなく、ほかの暗号方式で暗号化するためのパスワードを誰にも見られないように送っているだけなので、量子暗号という言葉に意味があるかよくわからない。

　Aさんは（1，2）×（1，2）の掛け算を送るのではなく、1×（1，2）の掛け算、2×（1，2）の掛け算、（1，2）×1の掛け算、（1，2）×2の掛け算の4つのうちのどれかを B さんに送る。つまり、B さんは（1×1，1×2）の中から部分的に掛け算をした波動関数を受け取る。次に B さんは掛け算の前の数字か後の数字のどっちを検出するかをランダムに決める。この場合、送られたものによって結果が変わ

る。１×（１，２）を受け取ったとき、掛け算の前の数字を
検出しようと決めれば、必ず１を得られるが、掛け算の後の数
字を検出しようとすると、１か２のどっちかをランダムに検出
してしまう。そして、「見たら壊れる」波動関数の性質上、事
前に掛け算の前の数字と後の数字のどっちが１個だけの数字の
掛け算になっているか知るすべはない。Ｂさんは次々と送られ
てきた数字のうち、掛け算の前と後の数字をランダムに選んで
検出すると1221121211……、みたいな数列を手にするが、
個々の１か２が「最初から１か２しか入っていなかったから
１や２を検出した」ものなのか、「（１，２）だったから50％
ずつの確率で１や２を検出した」ものなのか知るすべはない。
すべてが終わったら、Ａさんは掛け算の前と後とどっちの数字
が１や２であって（１，２）ではなかったかをＢさんに教え
る。ここは第三者に見られるところで堂々とやっていい。それ
だけの情報では、ＡさんがＢさんに何を送ったかはわからない
からだ。そして、Ｂさんは自分が選んだ前後の選択とＡさんが
決めた前後の選択が一致しているものだけを残してあとは捨て
る。たとえば、

Ａさん	前	後	前	前	前	後	後	後	前	前
Ｂさん	前	後	後	前	前	後	前	後	前	後
一致	○	○	×	○	○	○	×	○	○	×
数字	1	2	[2]	1	1	2	[1]	2	1	[1]

図8-1　量子暗号通信の具体例
[　]に入った数は（1,2）の組から「たまたま」得られた数であり、Ａさんにも
Ｂさんが1を受け取ったか2を受け取ったかわからないから、使わずに捨てる。

みたいな場合には、1211221という数字がＡさんとＢさんの間で共有されるので、これをパスワードにしてカギをかけてデータをやりとりすればいい。括弧［　］の中に入っている場合は、１や２が検出されていてもそれはもともと（１，２）みたいな数だったのがランダムに１か２に検出されただけで、使えない（ＡさんとＢさんの間で情報が共有できていない）から捨てる。送信のたびにこの手続きをすれば、毎回違うパスワードを使えるから絶対破られない！

　これのどこが暗号か、というとこれは盗聴防止に使えるのである。ときどき（できれば毎回）、ＡさんとＢさんは「答え合わせ」をするのである。「見たら壊れる」という波動関数の性質上、誰かが盗聴したらその波動関数は壊れてしまう。盗聴者は偽装するために「偽りの」波動関数をＢさんに送るしかない。だが、見て壊してしまった波動関数の内容は知りようがない。たとえば、盗聴者が掛け算の前の数字を見ると決めて１を得たとしても、波動関数は１×（１，２）、（１，２）×１、（１，２）×２のどれでもありうる〔２×（１，２）ではないことはわかる〕。そこでその中から１個だけランダムに選んで送るしかないわけだが、選んだものとＡさんが送ったものがずれていれば、ＢさんはＡさんが意図したとおりの結果を得られない。だから、ＡさんとＢさんがときどき答えあわせをすれば盗聴者がいたかどうかはバレるのだ（答え合わせに使ってしまった部分はパスワードには使えない）。これは物理学の法則に基づいた暗号通信なので、誰か賢い奴がいたら絶対に破れないとはいえない普通の暗号と違って、絶対に破ることは不可能だ。

　というわけで量子計算の例にしてはきわめて例外的だが、すでに実用化されている例として量子暗号を紹介してみた。

量子計算で計算する　――長い計算を一瞬で

　さて、じゃあ、暗号じゃなく、量子計算機は実際にはどんなふうに計算を行うのか？　これも本当のことを説明するととんでもなく難しいので、たとえで説明することで勘弁してほしい。たとえば、「かけたら36になる2つの数」を知りたいとする。この場合、36を順に小さい数で割っていく（2で割って、3で割って、みたいに）しか方法がないことは知られている（既知の方法の中にこれ以上速く計算するやり方がない）。そこでまず（1，2，……，9）×（1，2，……，9）が入っている波動関数を作る。これはたった1回の掛け算で済む。次に答えが36になっているところだけが残るように「観測を行う」。すると答えが4と9をかけたところだとわかる（もちろん、6×6も答えなのだが、それは何回も計算を繰り返すことでいつかは検出される、という仕組みだ）。この計算の肝はかけ合わせる数字の数がどんなにたくさんでも「掛け算が1回」で済むことだ。第5章の「場所の推定から距離の推定へ――距離の概念の拡張」で、とても大きな数が2つの大きな素数の積であるとき、それがどんな素数の積なのかを計算するのはとても大変で、それがインターネットで使われている暗号の基礎になっている、という話をしたが、量子計算を使うとそれが一瞬でできてしまう。まあ、実際にはいろいろ問題があり、たとえば、（1，2，……，9）という波動関数が最初か

らあることになっているが、これを作るのに本当は何かを数の個数、つまり9回やらないといけないのでは？　みたいな問題は実は解決していなかったりする。

　ここでした説明はあまりにも本当の計算から遠すぎて、本当のことの説明には全然なっていないのだが、もし実際に量子計算機ができたら、この問題は簡単に解けてしまって、インターネットで使われている暗号を全廃しなくてはいけなくなることは知られていて、量子計算が実現しても破られない暗号（正確には破られにくい暗号）の開発が必死に進められているのは事実だ。量子計算機がインターネットの暗号を破れるだけの実行性能を持つのはずっと先だと信じられてはいるのだが、思わぬ天才が現れて、量子計算機が突然実現してしまわないとは限らない。そうなってから慌てても遅いからだ。

量子計算は機械学習なのか？　──量子アニーリング

　ここまで量子計算機の話を読んできて、おまえじゃない感ばりばりな読者は多いのではないだろうか？　なんでこの話が機械学習の入門書に入っているのか、と。お門違いではないか、と。確かにここで紹介した量子計算は普通の方法ではできない難しい問題（たとえば、とても大きな数が2つの素数の積であるとき、その素数を求める、みたいな）を解く方法ではあっても、機械学習が目指していること、たとえば、入試の点数から入学後に優秀な成績を収める志願者を推定する、とか、萌えキャラの美少女の顔をデザインしてしまう、とか、はたまた

囲碁で世界最強の棋士に勝ってしまう、とか、要するに「それができたらすばらしいよね！」感がまるでない。

　だが、もともとの機械学習って、実はこういう「普通の方法ではできない難しい問題を（近似的に）解くための方法にすぎなかった」、と言ったらびっくりするだろうか？
　機械学習の有名な問題に巡回セールスマン問題というのがある。これはこんな問題だ。あるセールスマンが店でもお客の家でもいいけど、お互いに距離が離れているたくさんの場所を順番に訪れないといけないとする。どうやったら最短距離で回れるか？　という問題だ。これは言い方を換えるとある数の点が平面上に散らばっているときに、もっとも短い一筆書きはどれか？　という問題だ。

　この問題は一見、簡単そうに見える。だが、実際にやってみるとそうでもないことがすぐにわかるだろう。なんとなく短そうな一筆書きが描けても、絶対にそれ以外のもっとも短い一筆書きがない、という自信がなかなか持てないはずだ。なんでそうなるかというと、可能な一筆書きの数がとても多いからだ。たとえば10ヵ所を回らないといけないとする。最初にどこに行くかの選択肢は10通りある。するとあと9ヵ所残っているから、2番目にどこに行くかは9通り。すると3番目は8通り、というふうに順番にやっていくと全部で$10 \times 9 \times 8 \times \cdots \times 1$通りある。これはどれくらいの数だろうか？　1000通り？　それとも1万通り？　答えは3,628,800通りである！つまり360万通り以上あるということだ。とてもじゃないけ

ど、全部試すなんて無理だし、そんなことするくらいならさっさと訪問すべき場所に行ってしまったほうが全然早いだろう。

　機械学習とは本来、こういう「ちゃんと計算すれば答えがあるけど、時間がかかりすぎてできないから、近似的な答えでいいや」という目的のためのものだった。巡回セールスマン問題だって、実用上はベストの解が必要なわけじゃなく、ベストの解より10％だけ時間がかかる巡回方法が360万通り全部調べるよりもっと早くわかるなら、セールスマンはそれで満足だろう。世の中にはこういう「地道に計算すれば答えがあるのはわかるけれど実際に計算するのはスーパーコンピュータでも無理」みたいな問題がゴマンとある。なので、そういう問題を近似的に解く方法をみんながやっきになって探したのだ。

　実際、いま機械学習で使われている方法には、もともと物理学者が考えたものがけっこう入っている。物理学者が考える問題なんて答えがあるけど難しくて解けないに決まっているから、もともと機械学習はそういう問題に対処するために考えられたのだ。

　量子計算が機械学習の仲間だ、というのはそういう意味だ。たくさんの数とたくさんの数をかけるのに1回の掛け算で済む（しかし、中身は見られない）という量子計算は、うまく使えばまともにやったらすごい時間がかかることを一瞬で終わらせる可能性を秘めていることはなんとなくわかってもらえるだろう。

　量子計算機の中にはもうちょっと機械学習っぽいものもある。それは量子アニーリングという方法だ。量子アニーリングの考え方は少しはわかりやすい。九九の計算を全部重ねて表現できるという波動関数の性質を使って、巡回セールスマン問題の360万通り以上のすべての巡回方法が入っている状態の波動関数をまず作る。それからゆっくりと量子性を壊していく。量子性が壊れてしまうと最終的にどれか1個の巡回パターンしか表現できなくなる。その過程で「なるべく早く回れるもの」を選びながらゆっくりと量子性を壊していくと、最後にたった1個の最適の巡回路が残る。

　もちろん、これはあくまで理論上の話であって、実際に量子アニーリングで巡回セールスマン問題を解くとノイズのせいで「同じ場所を2回通る」みたいな解になってしまうこともあるので、そういうときはいい解が出るまでやり直さないといけなかったりする。いまのところ量子アニーリングの実機ではさまざまな制限があるので、いろいろな問題をうまく解くのは難しいが、いつか、囲碁の問題を量子アニーリングを使って解いて、普通のコンピュータに勝つ、ということも原理的には不可能じゃない。

　こんなふうに「難しくて解けないものを近似的に解く」ために考えられたはずの機械学習を、どっかの誰かが「答えがあるんだかないんだかわからないけど、できたらいいよね？」というノリで、複雑な問題（たとえば、写真を見て何が写っているかを当てる）に使ってみた、というのがいまの機械学

習ブームの走りだ。

　だから、歴史的なことをいうと、「第7章　深層学習——謎に包まれた高性能」で説明したような、ビッグデータなんて逆立ちしても手に入らない時代、スーパーコンピュータのメモリーがたったの32MBしかない時代に、360万通りの中からなるべく正解に近い近似を探す、みたいな問題の解決のために機械学習は生まれたのだ。巡回セールスマン問題の360万通りのパターンならメモリーにいちいち蓄えておかなくても、順番に試せるから32MBのメモリーで扱えたのだ。

　だが、これが360万枚の写真を分類してください、という問題になったら、そもそもそれだけの枚数の写真をまずコンピュータに入れられないと始まらない。だから、ビッグデータがない時代に考えられた機械学習の方法と、インターネットの普及や計算機の進化によるメモリーの増大が可能にしたビッグデータの融合がいまのデータサイエンスの大流行のそもそものきっかけなのである。

　もし、32MBしかメモリーがないころの科学者が、「難しくて解けないものを近似的に解く」というどうでもいいようなことに興味を持たなかったら、ビッグデータが手に入っても扱う手法が開発されていないので、いまのデータサイエンスの隆盛はなかったかもしれない。と考えると科学の歴史は本当に偶然に満ちていると僕は思ってしまうのだが、みなさんはどうだろうか？

データ駆動型知性の時代へ

　さて、長かった機械学習をめぐる旅もそろそろ終わりに近づいたようだ。この本ではずっと機械学習とは関係性の予測だということを強調してきた。いちばん簡単な k 近傍法から徐々に複雑な手法になり、前章では最先端の深層学習の内容に触れた。そこでは、もはやあるデータを解析して結果を出す、というより、目の前にあるデータをどう扱うかというほうが問題になるところまで科学が進歩していることを見た。データの中に関係を見るのではなく、何かと何かが関係しているならば、それはどんなデータでなくてはいけないかを考える、というあべこべの考え方だ（単語がどんなふうに数字化されたら穴埋め問題を解くのに都合がいいか、というのはまさにそういう問題だ）。そういう発想で作られた機械学習の知能が一部ではもう人間の知能を追い抜き始めている。囲碁ではもう負けてしまったし、翻訳や一般物体認識でももう負け始めているかもしれない。

　それはかつて人類が考えたような「高速で論理的に考えられるから正しい答えを出す」みたいな知性ではない。この章で取り上げた量子計算機みたいに、「なるべく正しい答えを出す」ということを試行するものだ。完璧な答えではなく「正しい可能性が高い答えを出す」というだけのもの。

　こういう論理じゃなくデータから結論を出す、実際には考えていないのに、知性的な営みが生み出すのと似たような結果を出せる仕組みを「データ駆動型知性」と呼んで、いままでの

知能とは別物として扱おうという動きはすでに始まっている。

　実のところ、僕は10年後にこの本の続編を書けたらいいな、みたいなことを思ったけれど、その本のタイトルはもはや機械学習じゃなくて「はじめてのデータ駆動型知性」みたいなものになってしまうんじゃないかなという予感がしている。
　さて、どうなることか。
　もし、縁があったら、またお会いしましょう。

おわりに

　本当は、もっと語りたい機械学習はあった。セルフ・オルガナイジング・マップとか、パーティクル・スウォーム・オプティマイゼーションとか、ランダムフォレストとか、アダブーストとか、マルコフ・チェーン・モンテカルロとか、バリエーショナル・オート・エンコーダーとか、舌を嚙みそうな横文字の名前が付いた機械学習がゴマンとある。でも、それは「高度な」話題だから、「はじめての機械学習」というタイトルの本にはイマイチなので書かなかった。この本がメッチャ売れて続編を書くことになったら、「続・はじめての機械学習」とか「はじめてじゃない機械学習」みたいな本を書いて（じゃなくて「はじめてのデータ駆動型知性」というタイトルになってしまうかもしれないけど）、そのときに触れてみたいと思う。この本の執筆を勧めてくださり、企画を通してくださったブルーバックスの編集者である髙月順一さんに深く感謝したいと思います。

2021年6月　　田口善弘

付録　本書を読んだあとに

　本書は本当に機械学習のさわりでしかなく、もっと知りたいと思った時には本当に欲求不満がたまるのではないか、と思われる。そこでそんな人のために、この先に学ぶべきことを説明してみた。

１．もっと知りたい

　この本は、本当に数学をなるべく使わないで説明することに注力した。正直言って機械学習まわりで極力数学を使わないで説明しようという態度の本はあまりない。それは一つには機械学習は、物理学や数学や生物学みたいな科学、というより何かをするための道具だからだ。道具であるからには使えるようにならなくてはいけない。ゴルフがうまくなるにはどうすればいいか、について書かれた本はたくさんあっても、ゴルフ自体について書かれた本なんてほとんど見かけないのと同じことだ。もう一つはとにかく、数式を使わないで機械学習の説明をするのがとても難しいからだ（お前はやってるじゃないかと言われたらそれっきりだが、そもそも、そんなことに挑戦すること自体が無謀である）。

　それでも数式を（あまり）使わない機械学習の本がまったくないわけではない。

● 伊庭幸人「岩波講座　物理の世界　物理と情報〈3〉ベイズ
　統計と統計物理」（岩波書店）2003年

　20年近く前の本だし「物理」と書いてあるからなんか違う
んじゃないかと思う人も多いかもしれないが、れっきとした機
械学習の入門書であり、名著とされている。本書では何度も
「確率最大にする＝もっとも起きやすいことが起きている」と
いう考え方で機械学習の答えを出す、という話を述べてきた
が、なぜ、それでいいのか、という話はほぼなかった。ベイズ
統計学、というのはある意味、何かを確率最大で求めることの
意味や、どうやってそれを実行するか、という学問であり、深
層学習がブイブイ言わせるようになるまでは、すべての機械学
習の基本になるような考え方だった。その意味でこの「ベイ
ズ統計と統計物理」という本は、そもそも機械学習というも
のの裏にどんな哲学が隠されているかを考えるという意味で
は、実によく書かれている。騙されたと思って手にとることを
お勧めする。きっと損はしない。

● 今泉允聡「深層学習の原理に迫る：数学の挑戦（岩波科学ラ
　イブラリー303)」（岩波書店）2021年

　打って変わって今年出たばかりの本だ。著者の今泉先生は
「なんで深層学習がこんなに性能がいいのか？」ということを、
理論的に解明する仕事をしている新進気鋭の若手の科学者であ
る。その説明がわかりやすいことは衆目の認めるところであ
り、初のご著書ではあるものの、なんで深層学習がここまでぶ

っちぎりにすごい性能を持つのか、について、どんな研究がされているかを説明してくれている。必ずやみなさんのご期待にそえることだろう。

● 東中竜一郎「AIの雑談力」（角川新書）2021年

　本書ではさらっとしか触れられなかったBERTと東ロボの関わりとその後の発展などについて書かれた良書。式などは基本用いられていないので気軽に読める。こっち方向のプロ研究者の方の執筆なので、内容に偽りなし。

● RAD-IT21
　https://rad-it21.com/

　本ではないのだが、AIに関係する論考を集めたWEBマガジン。いくつか機械学習に関係した記事をピックアップしておく。

　今泉允聡「深層学習はなぜ賢いのか？」
　河井大介「人工知能と学習データ：社会調査の視点から」
　大澤博隆「人狼ゲームと社会的知能：ゲームを解く人工知能の新展開」
　小林正啓「完全自動運転時の交通事故と法的責任」
　他多数

２．さらに学ぶために
　残念ながら「言葉で」機械学習について書かれた本は本当

に少ない。この先はどうしても数学を勉強しなくてはならない。もし、あなたが高校の数Ⅲまでの数学を学んでいなくて、かつ、それを学ぶ気がないなら、ここでおしまいである。だが、高校の数Ⅲまでの数学をすでに学んでいる、または、学んでないけど学ぶ気がある、という人はこの先を読んでほしい。高校の数Ⅲを独習する本はちまたにあふれているからその紹介はしない。

●金丸隆志「高校数学からはじめるディープラーニング　初歩からわかる人工知能が働くしくみ」（ブルーバックス）2020年

　同じレーベルかよ、宣伝じゃないの？　と思うかもしれないが、とりあえず、この本は高校の数Ⅲまでの数学をある程度わかっているヒトならなんとか深層学習が理解できるように作られているし、簡単なプログラム（Python、後述）を使って体験することも可能なようにできている。だから、根性さえあればこの本で深層学習を体験できるはずだ。時間と根性を持て余している人はぜひ、この本で深層学習を学んでほしい。

　さらにもっと知りたいと思うと、どうしても大学理工系１年レベルの数学の知識が要る。

●石村園子「改訂版　すぐわかる線形代数」（東京図書）
　2012年
●石村園子「改訂版　すぐわかる微分積分」（東京図書）
　2012年

この2冊はいわゆる大学理工系1年生の数学で躓いてしまった人用に書かれた、大学1年の数学の入門書である。あくまで大学で授業についていけない人向けの自習本だったのだが、結果的に大学理工系1年の数学を自習するための最高のテキストになっている。機械学習でこの先に進みたいという人はぜひ、この本で数学を学んでほしい。

　具体的に学ばないといけない概念を説明すると（言葉だけで意味はわからないと思うが）

　微分積分：高度な積分
　　　　　　偏微分
　　　　　　重積分
　　　　　　テーラー展開
　　　　　　微分方程式
　　　　　　連続と極限

　線形代数：ベクトル
　　　　　　行列
　　　　　　行列式
　　　　　　行列の対角化
　　　　　　連立一次方程式の解法
　　　　　　固有値と固有ベクトル

などになる。

ここを越えると一気に世界は広がる。急に読める本が増えてしまってむしろ選択に困るくらいだ。

　そこで以下のような順番をお勧めしたい。まず、計算機言語を学ぶ。パソコンは一通り使えてワードやエクセルは使える程度の能力があることを想定する。

● 幸谷智紀「Python数値計算プログラミング」（講談社）
　2021年

　Pythonの入門書は多いが、Pythonそのものの説明になってしまっていたり、あるいは逆に機械学習に使うことを過度に意識した構成になってしまっていることが多い。そこをこの本は大学理工系1年生で学ぶ線形代数や微積分をPythonを使ってやってみるという建て付けになっているので、ちゃんと何をやっているのか理解しながら学ぶことができる点がよいと思う。

3．機械学習を実行する

　ここまでくるとやっと機械学習を実際にやってみることができると思う。いろいろな考え方があるとは思うが、僕のお勧めは、

● Aurélien Géron「scikit-learn、Keras、TensorFlowによる
　実践機械学習　第2版」（オライリー・ジャパン）2020年

　みたいな本に取り組むことである。他の本でもいいのだが、ポイントは、

・機械学習の方法を広く扱っている

・Pythonのプログラミングコードがオンラインで提供され
　ている

という点だと思う。これは832ページもあるとんでもなく厚
い本なのだが、オンラインで見られる目次を見てもらうと「線
形回帰」「主成分」「ロジスティック回帰」「深層学習」などな
ど、本書で扱った言葉がたくさん出てきていて、本書で表面を
なでる程度にしか説明できなかったことを、一から丁寧に実際
に理解した上で実行することが可能になっていることがわかる
と思う。

ここで見たように、本当に機械学習をわかろうと思うと、

・大学理工系1年生の数学の理解

・Pythonなどのコンピュータ言語の理解と使いこなすスキル
が求められる。

4．さらに高度な内容

　さらなる先に行きたい、という野望があるような人はそもそ
も本書を読んだりしないとは思うのだが、将来いわゆる研究者
になりたいと思うような人が読む本をたくさん紹介しておく。
こういう本は腐るほど出版されている。2つだけお勧めのシリ
ーズを。

●岩波データサイエンス（Vol. 1〜6）（岩波書店）2015年〜
　2017年

Vol.1：特集：ベイズ推論とMCMCのフリーソフト

Vol.2：特集：統計的自然言語処理——ことばを扱う機械

Vol.3：特集：因果推論——実世界のデータから因果を読む

Vol.4：特集：地理空間情報処理

Vol.5：特集：スパースモデリングと多変量データ解析

Vol.6：特集：時系列解析——状態空間モデル・因果解析・ビジネス応用

データサイエンスについて、これでもか、というほど説明したシリーズ。サポートページには本で紹介した内容を実行するのに必要なプログラムがたくさんリンクされている。

●機械学習プロフェッショナルシリーズ（講談社サイエンティフィク）2015年〜

須山敦志　ベイズ深層学習

森村哲郎　強化学習

持橋大地／大羽成征　ガウス過程と機械学習

篠田浩一　音声認識

坪井祐太／海野裕也／鈴木　潤　深層学習による自然言語処理

原田達也　画像認識

清水昌平　統計的因果探索

金森敬文／鈴木大慈／竹内一郎／佐藤一誠　機械学習のための連続最適化

畑埜晃平／瀧本英二　オンライン予測

石黒勝彦／林　浩平　関係データ学習

これはもう本格的で網羅的な機械学習シリーズである。これ

を全部勉強した人は専門家でもなかなかいないだろう。全部勉強するようなものではなく、取捨選択しておもしろそうなもの、興味ある部分を深掘りするためのシリーズである。

● **橋本幸士編「物理学者、機械学習を使う―機械学習・深層学習の物理学への応用―」（朝倉書店）2019年**

本書でも述べたように、機械学習の源流は物理学にあった。だが、その後、機械学習はすっかり物理から離脱して全く別の場所で発展した。物理学者が機械学習の重要性に気づいたのはごく最近のことだ。機械学習に「再会」した物理学者の感動と興奮が詰まっている。

索引

索引

N.D.C.007　　218p　　18cm

ブルーバックス　B-2177

はじめての機械学習
中学数学でわかるAIのエッセンス

2021年7月20日　第1刷発行

著者	田口善弘	
発行者	鈴木章一	
発行所	株式会社講談社	
	〒112-8001　東京都文京区音羽2-12-21	
電話	出版　　03-5395-3524	
	販売　　03-5395-4415	
	業務　　03-5395-3615	
印刷所	（本文印刷）株式会社新藤慶昌堂	
	（カバー表紙印刷）信毎書籍印刷株式会社	
製本所	株式会社国宝社	

ISBN978－4－06－523960－5

発刊のことば

科学をあなたのポケットに

二十世紀最大の特色は、それが科学時代であるということです。科学は日に日に進歩を続け、止まるところを知りません。ひと昔前の夢物語もどんどん現実化しており、今やわれわれの生活のすべてが、科学によってゆり動かされているといっても過言ではないでしょう。

そのような背景を考えれば、学者や学生はもちろん、産業人も、セールスマンも、ジャーナリストも、家庭の主婦も、みんなが科学を知らなければ、時代の流れに逆らうことになるでしょう。

ブルーバックス発刊の意義と必然性はそこにあります。このシリーズは、読む人に科学的に物を考える習慣と、科学的に物を見る目を養っていただくことを最大の目標にしています。そのためには、単に原理や法則の解説に終始するのではなくて、政治や経済など、社会科学や人文科学にも関連させて、広い視野から問題を追究していきます。科学はむずかしいという先入観を改める表現と構成、それも類書にないブルーバックスの特色であると信じます。

一九六三年九月

野間省一

ブルーバックス　技術・工学関係書 (I)

ブルーバックス　数学関係書（Ⅱ）